学生课外必读丛书
XUESHENGKEWAIBIDUCONGSHU

成语 故事

编者/ 张健　　　责任编辑/ 王世喜

内蒙古人民出版社

**图书在版编目(CIP)数据**

成语故事/ 张健编. —呼和浩特:内蒙古人民出版社,2009.7
(学生课外必读丛书)
ISBN 978-7-204-10086-6

Ⅰ.成… Ⅱ.张… Ⅲ.汉语—成语—故事—少年读物
Ⅳ.H136.3-49

中国版本图书馆 CIP 数据核字(2009)第 113963 号

**学生课外必读丛书**

编　　者：张　健
责任编辑：王世喜
封面设计：刘银华
出版发行：内蒙古人民出版社
地　　址：呼和浩特市新城区新华大街祥泰大厦
印　　刷：武汉市金皇印务有限公司
开　　本：880×1230毫米　　1/32
印　　张：120
字　　数：1900千字
版　　次：2011年5月第一版
印　　次：2011年5月第一次印刷
印　　数：1—10000册
标准书号：ISBN 978-7-204-10086-6/ G · 2990
定　　价：200.00元

随着时代的发展，人类步入知识经济时代，知识的增长和科学技术的日新月异，宣告过去仅靠学校教育就可以一劳永逸的时候一去不返了，这个时代不再需要那些仅仅会记住课本知识的"好孩子"。在这种情况下，只有通过学习来提高自身素质，让自己适应这种社会。

众所周知，课外阅读对一个人能力的提高乃至素养的形成具有极其重要的作用。阅读经典不但可以弥补家庭教育和课堂学习的不足，而且还可以激发我们创造性思维能力，培养我们的想象力和创新精神。那些不因岁月的洗礼而失去光辉，也不因时光的流逝而减弱光彩的经典，温暖了一代又一代孩子的记忆。

为了使您的孩子增长知识，开阔视野，我们特意精心编著了本套丛书，作为课外经典读物献给您的孩子，让您的孩子直观地体味故事情节的奥妙，吸取书中知识的哲理，从而更加快乐、健康地成长。

书中古老的《伊索寓言》《一千零一夜》，历久弥新的《安徒生童话》《格林童话》《成语故事》《365夜故事》，还有蒙学读物《弟子规》《三字经》等，更有畅销国内外的《十万个为什么》《脑筋急转弯》等，是我们从中国传统文化的经典之作中选出的最具代表性的书籍，采用通俗易懂的语言，感人至深的情节，并且加注了文字拼音，配上了精美逼真、色彩鲜艳的插图，这使得本丛书在知识性的基础上更加富有趣味性，符合孩子们的阅读习惯，让孩子容易理解和接受。

我们在编辑本套丛书时，努力地使其内容丰富，融知识性和趣味性于一体，我们的目的就在于给你提供最全面、最丰富的课外知识。我们以独特的视角，精选了最为有趣、最为实用的故事，帮助你开启思维，丰富认知，积累经验，让你在阅读中提高，在经验中成长。亲爱的读者朋友们，崇高的素质是每个人都必需具备的优良品质，只有具备了崇高的素质才能大胆创新，不断进取，取得成功。我们相信，本套丛书不仅可以让你更加积极地投入到一些课外学习和生活中去，还可以启迪你的智慧，点拨你的思路，更能帮助你提高综合素质，让你成为新世纪不可多得的人才。

朋友们，捧起书来，在读书中丰富情感，在读书中充实自己，在读书中明辨是非，在读书中修养身心。

愿这些历久弥新的经典读物成为你们的良师益友，

愿你们在经典中体验成长的快乐。

# 目录

一诺千金 / 7

鹤立鸡群 / 10

孺子可教 / 12

倾国倾城 / 16

叶公好龙 / 19

庸人自扰 / 21

愚公移山 / 24

各得其所 / 27

多多益善 / 30

秦晋之好 / 33

小时了了 / 36

鸡犬升天 / 39

守株待兔 / 42

请君入瓮 / 44

天衣无缝 / 47

狐假虎威 / 50

大公无私 / 54

迎刃而解 / 58

死灰复燃 / 62

丧家之犬 / 64

呕心沥血 / 67

一字之师 / 69

塞翁失马 / 72

熟能生巧 / 75

削足适履 / 78

胯下之辱 / 82

人面桃花 / 86

退避三舍 / 90

闻鸡起舞 / 93

千里送鹅毛 / 95

黔驴技穷 / 99

好逸恶劳 / 101

盛气凌人 / 105

不入虎穴,焉得虎子 / 109

罄竹难书 / 112

四面楚歌 / 115

功亏一篑 / 119

负荆请罪 / 123

无可奈何 / 126

破镜重圆 / 129

凿壁借光 / 132

自相矛盾 / 136

卧薪尝胆 / 139

暗送秋波 / 141

名落孙山 / 145

沾沾自喜 / 148

义无反顾 / 152

井底之蛙 / 155

箭在弦上 / 157

# 一诺千金
yinuoqianjin

秦朝末年，在楚地有一个叫季布的人，性情耿直，为人侠义好助。楚汉相争时，季布是项羽的部下，曾几次献策，使刘邦的军队吃了败仗。刘邦当了皇帝后，想起这事，就气恨不已，下令通缉季布。

这时敬慕季布为人的人，都在暗中帮助他。不久，季布经过化装，到山东一家姓朱的人家当佣工。朱家明知他是季布，仍收留他。后来，朱家又到

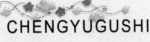

CHENGYUGUSHI

洛阳去找刘邦的老朋友汝阴侯夏侯婴说情。刘邦在夏侯婴的劝说下撤消了对季布的通缉令。

有一个季布的同乡人曹邱生，专爱结交有权势的官员，借以炫耀和抬高自己，听说季布做了大官，他就马上去见季布。季布听说曹邱生来，就虎着脸，准备发落几句话，让他下不了台。

谁知曹邱生一进厅堂，不管季布脸色多么阴沉，话语多么难听，立即对季布又是打躬，又是作揖，要与季布拉家常叙旧，并吹捧说："我听到楚地到处流传着'得黄金千两，不如得季布一诺'这样的话，您怎么能够有这

8

样的好名声传扬在梁、楚两地的呢？我们既是同乡，我又到处宣扬你的好名声，你为什么不愿见到我呢？"

季布听了曹邱生的这番话，心里顿时高兴起来，留下他住了几个月，作为贵客招待。临走，还送给他一笔厚礼。

后来，曹邱生又继续替季布到处宣扬。季布的名声也就越来越大了。

**成长指南**

许下的一个诺言有千金的价值。后来人们用"一诺千金"比喻说话算数，极有信用。

9

# 鹤立鸡群
····· helijiqun

jī kāng shì sān guó shí dài
嵇康，是三国时代

wèi guó zhù míng de wén xué jiā yīn
魏国著名的文学家、音

yuè jiā fēi cháng
乐家。非常

yǐn rén zhù mù tā
引人注目。他

yīn bù mǎn cāo zòng
因不满操纵

cháo zhèng de sī mǎ
朝政的司马

zhāo bèi sī mǎ zhāo
昭，被司马昭

jiè yí jiàn shì shā hài sǐ shí jǐn suì jī kāng de ér zi jī
借一件事杀害，死时仅41岁。嵇康的儿子嵇

shào hé tā fù qīn yí yàng hěn yǒu cái xué bìng qiě yí biǎo táng táng
绍，和他父亲一样很有才学，并且仪表堂堂。

tā wú lùn zǒu dào nǎ li dōu xiǎn de zhuó rán chāo qún
他无论走到哪里，都显得卓然超群。

sī mǎ yán dài wèi chēng dì hòu jī shào bèi zhēng zhào dào jīng dū
司马炎代魏称帝后，嵇绍被征召到京都

luò yáng zuò guān yǒu rén jiàn le tā hòu duì tā fù qīn de hǎo yǒu
洛阳做官。有人见了他后，对他父亲的好友

王戎说:"昨天我见到了嵇绍,他长得高大极了,雄伟得很。在人群之中,就像一只仙鹤站在鸡群里那样突出。"

晋惠帝司马衷继位后,嵇绍担任侍中,侍从皇帝,后来,西晋皇族内部发生了"八王之乱"。嵇绍在跟随惠帝出兵作战时,尽力护卫惠帝,不幸中箭身亡,鲜血溅在惠帝的战袍上。惠帝很受感动,不让内侍洗去这件战袍上的血迹,表示他非常赞赏和怀念嵇绍的高贵品质。

**成长指南**

后来人们用"鹤立鸡群"比喻一个人的仪表或才能在周围一群人里显得很突出。

# 孺子可教
ruzikejiao

张良，字子房。他原是韩国的公子，姓姬，后来因为行刺秦始皇未遂，逃到下邳隐匿，才改名为张良。

有一天，张良来到下邳附近的圯水桥上散步，在桥上遇到一个穿褐色衣服的老人。那老人的一只鞋掉在桥下，看到张良走来，便叫道："喂！小伙子！你替我去把鞋拣起来！"张良心中很不痛快，但看到对方

nián jì hěn lǎo biàn xià qiáo bǎ xié jiǎn le qǐ lái nà lǎo rén jiàn
年纪很老，便下桥把鞋捡了起来。那老人见

le yòu duì zhāngliáng shuō lái gěi wǒ chuānshàng
了，又对张良说："来！给我穿上！"

zhāngliáng hěn bù gāo xìng dàn zhuǎn
张良很不高兴，但转

nián xiǎng dào xié dōu shí qǐ lái yòu
念想到鞋都拾起来，又

hé bì jì jiào biàn gōng jìng
何必计较，便恭敬

de tì lǎo rén chuān shàng
地替老人穿上

xié lǎo rén zhàn qǐ shēn
鞋。老人站起身，

yí jù gǎn xiè de huà yě
一句感谢的话也

méi shuō zhuǎnshēn zǒu le
没说，转身走了。

zhāngliáng lèng lèng de wàng zhe
张良愣愣地望着

lǎo rén de bèi yǐng cāi xiǎng zhè lǎo rén yí dìng hěn yǒu lái lì guǒ
老人的背影，猜想这老人一定很有来历，果

rán nà lǎo rén zǒu le lǐ bǎ lù fān shēn huí lái shuō
然，那老人走了里把路，返身回来，说：

nǐ zhè xiǎo huǒ zi hěn yǒu chū xī zhí de wǒ zhǐ jiào wǔ
"你这小伙子很有出息，值得我指教。五

tiān hòu de zǎo shang qǐng dào qiáoshang lái jiàn wǒ zhāngliáng tīng le
天后的早上，请到桥上来见我。"张良听了，

lián máng dā ying
连忙答应。"

dì wǔ tiān zǎo shang zhāngliáng gǎn dào qiáoshang lǎo rén yǐ xiān
第五天早上，张良赶到桥上。老人已先

到了，生气地说："跟老人约会，应该早点来。再过五天，早些来见我！"

又过了五天，张良起了个早，赶到桥上，不料老人又先到了，老人说："你又比我晚到，过五天再来。"

又过了五天，张良下决心这次一定比老人早到。于是他刚过半夜就摸黑来到桥上等候。天蒙蒙亮时，他看到老人一步一挪地走上桥来，赶忙上前搀扶。老人这才高兴地说："小伙子，你这样才对！"

老人说着，拿出一部《太公兵法》交给张良，说：

"你要下苦功钻研这部书。钻研透了，以后可以做帝王的老师。"

张良对老人表示感谢后，老人扬长而去。

后来，张良研读《太公兵法》很有成效，成了汉高祖刘邦手下的重要谋士，为刘邦建立汉朝立下了汗马功劳。

**成长指南**

后人常用"孺子可教"这一成语，赞扬素质好的年轻人有出息，可以造就。

# 倾国倾城
#### qingguoqingcheng

wǒ guó cóng qín cháo qǐ
我国从秦朝起，
guó jiā jiù shè lì le yīn yuè
国家就设立了音乐
guān shǔ chēng wéi yuè fǔ dào
官署，称为乐府。到
hàn wǔ dì shí yuè fǔ de
汉武帝时，乐府的
guī mó yǐ hěn dà zhǎngguǎn
规模已很大，掌管
cháo huì yàn qǐng dào lù yóu
朝会宴请、道路游
xíng shí suǒ yòng de yīn yuè
行时所用的音乐，
tóng shí shōu jí mín jiān de shī
同时收集民间的诗

gē hé yuè qǔ dāng shí yǒu wèi míng jiào lǐ yán nián de gōng tíng yuè
歌和乐曲。当时有位名叫李延年的宫廷乐
shī tā fù mǔ xiōng dì dōu dāng yuè gōng mèi mei yě shì yí wèi gē jì
师，他父母兄弟都当乐工，妹妹也是一位歌妓。
lǐ yán nián hěn shòu wǔ dì shǎng shí jīng cháng zài wǔ dì miàn qián
李延年很受武帝赏识，经常在武帝面前
biān chàng gē biān tiào wǔ yǒu yí cì tā dòng qíng de chàng dào
边唱歌边跳舞。有一次，他动情地唱道：

## 成语故事

"北方有佳人，绝世而独立。

一顾倾人城，再顾倾人国。

宁不知倾城与倾国，佳人难再得。"

歌词的意思是，北方有个非常漂亮的姑娘，她是绝代佳人，全城、全国的人看了她，都为之倾倒。这种倾城倾国的美人再也难得见到。

汉武帝听了很感兴趣地问李延年：

"难道世上真有这样的绝代佳人？"

李延年还未回答，武帝的姐姐平阳公主笑着说道：

"有这样的佳人啊，她就是

17

李乐师的妹妹呀！"

武帝立即传令，把这位佳人带进宫来。一看，其美貌果然举世无双，于是将她留在身边，称为李夫人。李夫人不仅漂亮，而且能歌善舞，很受武帝宠爱。

不幸的是，李夫人在武帝身边的时间不长，就患了绝症去世。武帝非常悲痛，把她的画像悬挂在宫里，以示怀念。

**成长指南**

后来人们用"倾国倾城"来形容妇女的容貌极其美丽。

# 叶公好龙

**yegonghaolong**

chūn qiū shí chǔ guó rén shěn zhū liáng　zì zǐ gāo　zài yè dì dāng
春秋时楚国人沈诸梁,字子高,在叶地当

xiàn lìng　zì chēng　yè gōng　zhè wèi yè gōng ài lóng chéng pǐ　tā
县令,自称"叶公"。这位叶公爱龙成癖,他

shēnshang pèi dài de gōu jiàn　záo dāo děng wǔ qì shang dōu shì yǒu lóng wén
身上佩带的钩剑、凿刀等武器上都饰有龙纹,

jiā li de liáng zhù mén chuāngshang dōu diāo zhe lóng　qiángshang yě huà zhe
家里的梁柱门窗上都雕着龙,墙上也画着

lóng　yè gōng ài hào lóng de
龙。叶公爱好龙的

míngshēngchuányáng sì fāng
名声传扬四方。

shàng jiè de tiān lóng
上界的天龙

tīng shuō rén jiān yǒu zhè me yí
听说人间有这么一

wèi yè gōng duì tā rú cǐ xǐ
位叶公对它如此喜

ài　jué dìng dào rén jiān zǒu yì
爱,决定到人间走一

zāo xiàng yè gōng zhì xiè
遭向叶公致谢。

zhè tiān yè gōng
这天叶公

zhèng zài wǔ shuì yì
正在午睡，一

shí fēng yǔ dà zuò
时风雨大作，

léi shēng lóng lóng bǎ
雷声隆隆，把

tā jīng xǐng tā
他惊醒。他

máng zhe qǐ lái guān
忙着起来关

bì chuāng hu bú liào tiān
闭窗户。不料天

lóng cóng chuāng kǒu shēn jìn tóu
龙从窗口伸进头

lái xià de tā hún fēi pò sàn táo jìn táng wū yòu jiàn yì tiáo shuò
来，吓得他魂飞魄散，逃进堂屋，又见一条硕

dà wú bǐ de lóng wěi ba héng zài miàn qián dǎng zhù qù lù
大无比的龙尾巴横在面前，挡住去路。

tā miàn rú tǔ sè dùn shí dǎo zài dì shang bù xǐng rén shì
他面如土色，顿时倒在地上，不省人事。

tiān lóng qiáo zhe bàn sǐ bù huó de yè gōng zhǐ néng sǎo xìng de fēi huí
天龙瞧着半死不活的叶公，只能扫兴地飞回

shàng jiè qí shí yè gōng bìng bú shì zhēn de ài hào lóng tā ài
上界。其实，叶公并不是真的爱好龙，他爱

de bú guò shì sì lóng fēi lóng de dōng xi ér yǐ
的不过是似龙非龙的东西而已。

 成长指南

这是个含有讽刺意味的寓言，嘲笑那些表面上喜爱某事物、实际上却对它怕得要死的人。

20

# 庸人自扰

· · · · · yongrenzirao

唐睿宗时，朝廷中有个监察御史叫陆象先。他为人宽容，才学很高，办事干练，敢于直言，可是，有一次他触犯了唐睿宗，被贬到益州任大都督府长史兼剑南道按察使。陆象先到任后，对老百姓十分宽厚仁慈，他的助手韦抱真劝他说：

"这地方的百姓十分愚顽，很难管教。你应该用严厉的刑罚来建立自己的威望。不然的话，以

21

后就没人怕你了！"陆象先听了，摇摇头说：

"我的看法和你完全不同。老百姓的事情在于治理，你治理得好，老百姓安居乐业，他们便会服从你，为什么一定要用严刑来树立自己的威望呢？"

有一次，一个小官吏犯了罪，陆象先只是训诫了他一顿，而他的一个属下认为这样处理太轻，陆象先严肃地对他们说："人都是有感情的，而且每个人的感情都相差不远。我责备了他，他难道会不理解我的话吗？他是你的手下，他犯了罪，难道你就没有责任吗？如果一定要用刑的话，一定从你开始。"那个属下听了，满脸羞惭地退了下去。

后来，陆象先曾多次对他所管辖的官吏们说：

"天下本来没有什么了不起的大事，只是有一些见识浅陋的人，平庸无能之辈，自己骚扰自己，结果把一些很容易解决的事情也办糟了。我为的是要从根本上来解决问题，以后就可以减少许多麻烦。"

陆象先果然把益州治理得很好，百姓生活安定，官吏也十分佩服他。

**成长指南**

"庸人自扰"今泛指本来没有问题而自己瞎着急或自找麻烦。

# 愚公移山
yugongyishan

chuánshuō gǔ shí hou yǒu liǎng zuò dà shān　yí zuò jiào tài hángshān
传说古时候有两座大山，一座叫太行山，

yí zuò jiào wáng wū shān　nà li de běi shān zhù zhe yí wèi lǎo rén míng
一座叫王屋山。那里的北山住着一位老人名

jiào yú gōng kuài　suì le　tā měi cì chū mén　dōu yīn bèi zhè liǎng
叫愚公，快90岁了。他每次出门，都因被这两

zuò dà shān zǔ gé　yào rào hěn dà de quān zi　cái néng dào nán fāng qù
座大山阻隔，要绕很大的圈子，才能到南方去。

yì tiān　tā bǎ quán jiā rén zhào jí qǐ lái　shuō
一天，他把全家人召集起来，说：

wǒ zhǔn bèi yǔ nǐ men yì qǐ　yòng bì shēng de
"我准备与你们一起，用毕生的

jīng lì lái bān diào tài hángshān hé wáng wū shān　xiū yì tiáo
精力来搬掉太行山和王屋山，修一条

tōngxiàng nán fāng de dà dào　nǐ men shuō hǎo ma
通向南方的大道。你们说好吗！"

dà jiā dōu biǎo shì zàn
大家都表示赞

chéng　dàn yú gōng de lǎo bàn
成，但愚公的老伴

tí chū yí gè wèn tí
提出一个问题：

nǐ men dà jiā de
"你们大家的

24

lì liàng jiā qǐ lái hái bù néng bān yí yí zuò xiǎo shān yòu zěn néng bǎ
力量加起来，还不能搬移一座小山，又怎能把
tài háng wáng wū liǎng zuò dà shān bān diào zài shuō bǎ nà xiē wā chū
太行、王屋两座大山搬掉？再说，把那些挖出
lái de ní tǔ hé shí kuài fàng dào nǎ li qù ne
来的泥土和石块放到哪里去呢？”

tǎo lùn xià lái dà jiā rèn wéi kě yǐ bǎ wā chū lái de ní
讨论下来大家认为，可以把挖出来的泥
tǔ hé shí kuài rēng dào dōng fāng de hǎi biān
土和石块扔到东方的海边
hé běi fāng zuì yuǎn de dì fang
和北方最远的地方。

dì èr tiān yì
第二天一
zǎo yú gōng dài zhe ér
早，愚公带着儿
sūn men kāi shǐ wā shān
孙们开始挖山。
suī rán yì jiā rén měi tiān
虽然一家人每天
wā bù liǎo duō shǎo dàn
挖不了多少，但
tā men hái shi jiān chí wā zhí
他们还是坚持挖。直
dào huàn jì jié de shí hou cái huí jiā yí cì
到换季节的时候，才回家一次。

yǒu gè míng jiào zhì sǒu de lǎo rén dé zhī zhè jiàn shì hòu tè
有个名叫智叟的老人得知这件事后，特
dì lái quàn yú gōng shuō
地来劝愚公说：

nǐ zhè yàng zuò tài bù cōng míng le píng nǐ zhè yǒu xiàn de jīng
“你这样做太不聪明了，凭你这有限的精

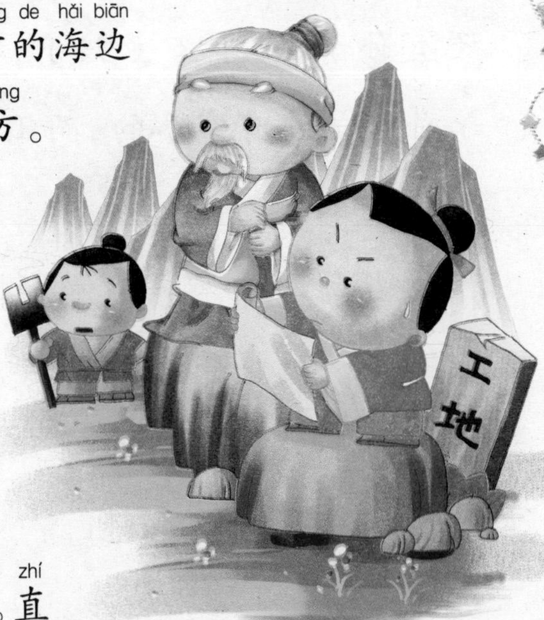

力，又怎能把这两座山挖平呢？"

愚公回答说：

"你这个人太顽固了，简直无法开导。即使我死了，还有我的儿子在这里。儿子死了，还有孙子，孙子又生孩子，孩子又生儿子。子子孙孙是没有穷尽的，而山却不会再增高，为什么挖不平呢？"

当时山神见愚公他们挖山不止，便向上帝报告了这件事。上帝被愚公的精神感动，派了两个大力神下凡，把两座山背走了。从此，这里不再有高山阻隔了。

## 成长指南

这个故事通过写愚公的坚持不懈与智叟的胆小怯弱，告诉人们，无论遇到多么困难的事情，只要有恒心、有毅力地做下去，就有可能成功。

# 各得其所

gedeqisuo

　　hàn wǔ dì de mèi mei lóng lǜ gōng zhǔ yǒu gè ér zi bèi wǔ
　　汉武帝的妹妹隆虑公主有个儿子，被武

dì fēng wéi zhāo píng jūn zhāo píng jūn píng rì hú zuò fēi wéi jīng cháng
帝封为昭平君。昭平君平日胡作非为，经常

chù fàn xíng lǜ wǔ dì kàn zài mèi mei de miànshang yí cì cì dōu
触犯刑律。武帝看在妹妹的面上，一次次都

fǎ wài shī rén yǔ yǐ kuān shù
法外施仁，予以宽恕。

　　lóng lǜ gōng zhǔ sǐ le yǐ hòu
　　隆虑公主死了以后，

zhāo píng jūn shī qù guǎn jiào gèng jiā héng
昭平君失去管教更加横

xíng bù fǎ yí cì hē de dà zuì
行不法，一次喝得大醉，

bǎ zhǔ fù shā sǐ bèi guān
把主傅杀死，被关

rù gōng nèi jiān fáng shā rén
入宫内监房。杀人

zhě dǐ zuì yǒu míng què de
者抵罪，有明确的

fǎ lǜ tiáo wén tíng
法律条文，廷

wèi yuán xiǎng yī fǎ
尉原想依法

27

处昭平君死刑，但想到隆虑公主预先为昭平君赎免过死刑，不敢擅自决断，向汉武帝奏请裁处意见，说："昭平君擅杀朝廷官员，依法当死，但公主临终之日曾向陛下赎免过死罪，陛下当时也亲口答应，所以臣不敢定罪，请陛下圣裁。"

　　武帝对讲情的大臣说："公主老年得子，又在临终之际将儿子托付于我，想起来我也觉得痛心。可是法律是高帝亲自制定的，如果因为我妹妹的缘故破坏了先朝法令，我怎么对得起列祖列宗，又如何取信于百姓呢？我看还是依法判刑吧。"武帝说完，禁不住流下眼泪，气氛显得十分压抑。

太中大夫东方朔却上前祝贺说："我听说圣明的君主治理天下时，奖赏不避仇敌，处罚不偏袒亲近。您已做到了这两条，全国百姓生活安定，每个人都得到适当的安置，实在是百姓的大幸（四海之内，元元之民各得其所，天下幸甚）。"

当天夜里，武帝对东方朔说："我悲痛时，你却祝贺，不大对吧。"东方朔又一番颂扬的话把武帝说高兴了，得到不少赏赐。

成长指南

"各得其所"在这个故事里说明老百姓能如愿以偿，后来指每个人或每件事都得到适当的位置或安排。

# 多多益善
duoduoyishan

hán xìn shì hàn gāo zǔ liú bāng de dà jiàng hé xiāo hé zhāng
韩信是汉高祖刘邦的大将，和萧何、张

liáng bìng chēng wéi hàn xīng sān jié
良，并称为"汉兴三杰"。

kě shì liú bāng duì yú hán xìn shí jì shangbìng bú xìn rèn
可是，刘邦对于韩信实际上并不信任；

hán xìn duì liú bāng yě pō yǒu bù mǎn
韩信对刘邦也颇有不满。

liú bāng zuò le huáng dì yǐ hòu xiān bǎ
刘邦做了皇帝以后，先把

hán xìn de dà jiàng míng yì hé bīng quán jiě chú
韩信的大将名义和兵权解除，

gǎi fēng wéi chǔ wáng jiē zhe
改封为"楚王"。接着，

yòu shuō hán xìn yīn móu fǎn pàn
又说韩信阴谋反叛，

zhǔn bèi dài bǔ tā liú bāng
准备逮捕他。刘邦

cǎi yòng lìng yì móu shì
采用另一谋士

chén píng de jì cè jiǎ
陈平的计策，假

chēng yóu lǎn yún mèng
称游览云梦，

30

bìng tōng zhī zhū hóu zài chén dì xiāng huì xiǎng
并通知诸侯在陈地相会，想

jiè cǐ xí jī hán xìn hán xìn zhī dào
借此袭击韩信。韩信知道

le hěn shì zháo jí bù zhī rú
了，很是着急，不知如

hé shì hǎo
何是好。

zhè shí xiàng yǔ de jiù
这时，项羽的旧

bù yǒu yí gè míng jiào zhōng lí
部有一个名叫钟离

mèi de zhù zài hán xìn jiā li yīn wèi tā hé hán xìn shì lǎo péng
昧的，住在韩信家里。因为他和韩信是老朋

you liú bāng què zhèng yào zhuō ná tā yǒu rén biàn xiàng hán xìn jiàn yì
友，刘邦却正要捉拿他。有人便向韩信建议：

shā le zhōng lí mèi dài zhe tā de tóu jiàn liú bāng jiù kě yǐ méi
杀了钟离昧，带着他的头，见刘邦，就可以没

shì le
事了。

hán xìn wèi le zì shēn de ān quán guǒ rán xī shēng le péng you
韩信为了自身的安全，果然牺牲了朋友。

kě shì hán xìn yí jiàn liú bāng réng bèi lì jí dài bǔ jiè jìn jīng
可是，韩信一见刘邦，仍被立即逮捕，解进京

qù liú bāng yě bù yóu yún mèng le jiù huí luò yáng dào luò yáng
去。刘邦也不游云梦了，就回洛阳。到洛阳

yǐ hòu xuān bù dà shè hán xìn bèi shè miǎn zuì yòu gǎi fēng ér jiàng
以后，宣布大赦，韩信被赦免罪，又改封而降

wéi huái yīn hóu
为"淮阴侯"。

yóu yú zhè duàn gù shi hòu wèi bǐ yù shè jì zhuō rén jiù jiào
由于这段故事，后为比喻设计捉人，就叫

做"伪游云梦"。

《史记·淮阴侯传》载：有一次，刘邦曾问韩信："依你看来，像我这样的人能带多少人马？"韩信答道："陛下带十万人马还差不多。"刘邦问道那么你呢。韩信不客气地说："臣多多而益善耳。"刘邦于是笑道："你既然如此善于带兵，怎么被我逮住了呢？"韩信沉吟半晌才说："您虽然带兵能力不如我，可是您有管将的能力啊。"

**成长指南**

汉高祖刘邦善于带将，而韩信则善于带兵。这说明人各有所长，也各有所短。对于我们每个人来说，又何尝不是如此呢！

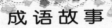

# 秦晋之好
····· qinjinzhihao

chūn qiū chū qī jìn guó tūn bìng le xiǎo guó chéng wéi yí gè
春秋初期，晋国吞并了小国，成为一个

dà de zhū hóu guó wèi le jiā qiáng yǔ lín jìn shí lì xiāngdāng de qín
大的诸侯国。为了加强与邻近实力相当的秦

guó de yǒu hǎo guān xi jìn xiàn gōng bǎ zì jǐ de dà nǚ ér jià gěi
国的友好关系，晋献公把自己的大女儿嫁给

le qín mù gōng lì shǐ shangchēng tā wéi qín mù fū rén
了秦穆公，历史上称她为秦穆夫人。

nián lǎo de jìn xiàn gōng fēi chángchǒng
年老的晋献公非常宠

ài fēi zǐ lí jī tīng le tā de chán
爱妃子骊姬。听了她的谗

yán jìng bī sǐ tài
言，竟逼死太

zǐ shēnshēng yú shì
子申生，于是，

jìn xiàn gōng lìng wài
晋献公另外

liǎng gè ér zi yí
两个儿子夷

wú hé chóng ěr táo
吾和重耳逃

lí jìn guó gōng
离晋国。公

yuán qián nián jìn xiàn gōng qù shì lí
元前651年，晋献公去世，骊

jī de ér zi xī qí bèi lì
姬的儿子奚齐被立

wéi guó jūn dàn bù jiǔ jiù
为国君，但不久就

bèi zhōng yú yí wú de liǎng gè
被忠于夷吾的两个

dà fū shā sǐ tā men
大夫杀死。他们

suí jí pài rén qù yíng jiē
随即派人去迎接

liú wáng zài liáng guó de yí
流亡在梁国的夷

wú huí jìn guó jì wèi
吾回晋国继位。

yí wú qǐng qín mù gōng pài bīng hù sòng bìng zhī chí tā bìng yǔn
夷吾请秦穆公派兵护送并支持他，并允

nuò gē zuò chéng chí gěi qín guó zuò wéi bào dá dàn tā jì wèi hòu
诺割5座城池给秦国作为报答。但他继位后

shí yán qín mù gōng fēi cháng shēng qì guò le nián jìn guó fā
食言，秦穆公非常生气。过了4年，晋国发

shēng jī huāng qín mù gōng bú jì jiù hèn bāng zhù jìn guó dù guò le
生饥荒，秦穆公不计旧恨，帮助晋国度过了

jī huāng kě shì cì nián qín guó fā shēng le jī huāng jìn huì gōng què
饥荒。可是次年秦国发生了饥荒，晋惠公却

bù kěn zhī yuán qín guó liáng shi guò le nián qín mù gōng shuài jūn
不肯支援秦国粮食。过了1年，秦穆公率军

gōng fá jìn guó huó zhuō le jìn huì gōng hòu zài qín mù fū rén de
攻伐晋国，活捉了晋惠公。后在秦穆夫人的

bāng zhù xià qín mù gōng bù jǐn kuān shù le jìn huì gōng ér qiě yǔ tā
帮助下，秦穆公不仅宽恕了晋惠公，而且与他缔结了盟约。

晋惠公经过这次劫难后，加强了对秦国的友好关系，把太子子圉送到秦国去当人质，不料，子圉后来背着秦穆公逃回晋国，次年晋惠公死了，他继位当了国君，即晋怀公。晋怀公生性刻薄，乱杀老臣，引起朝中百官对他的强烈不满。在各诸侯国流亡了19年之久的晋公子重耳，来到了秦国。他才华出众，秦穆公很欣赏他，把宗女怀嬴嫁给了他。

后来，秦穆公派军队护送重耳回晋国去，重耳派人刺杀了晋怀公，群臣都拥戴他当国君。之后，他让太子也娶秦国的宗女做夫人，从而父子两代都和秦国联姻，结成"秦晋之好"。

**成长指南**

后来，"秦晋之好"逐渐发展为成语。泛指两家联姻。

# 小时了了

·····xiaoshiliaoliao

孔融是东汉末年的名臣，也是孔子的第二十世孙。孔融从小就很聪明。

孔融十岁那年，有一次跟父亲到京师洛阳去。当时，河南太守李元礼名气很大，读书人都很崇仰他。孔融对李元礼也很仰慕，很想去见他，可又怕他父亲不答应，于是便偷偷地一个人到李元礼家去拜访。他来到李元礼的府前，对守门人说：

"我是李太守的亲戚，请你替我通报一下！"

守门人为他通报以后，便请他进大厅去。

当李元礼看到求见的人只是一个不认识的小孩，便不客气地问："你和我有什么亲戚关系？"

孔融回答说："我的远祖孔子和您的远祖老子有师徒之谊，我是孔子的后人，你是老子的后人，我们当然是世交啦！"

当时，李元礼的家中正好有许多宾客，他们看到孔融小小年纪便能讲出这种话来，都感到非常惊讶。

过了一会，太中大夫陈韪来了。有人把刚才孔融所说的话告诉了他，陈韪听了，不以为然地说：

"小时了了，大未必佳。"意思是说：小时候聪明的人，将来长大以后，未必一定杰出。孔融听了，立刻反唇相讥，说：

"照你这么说，想必你小时候一定很聪明啦！"

座上的宾客听了之后越发惊奇，而陈韪则愣在那里，半天说不出话来。

过了好一会儿，还是李元礼打破尴尬的局面，直夸孔融聪明。

**成长指南**

小朋友们，孔融年纪虽然小，但脑筋灵活，面对任何场面都应对自如，我们也要像他一样，多多锻炼自己哦！

# 鸡犬升天

····· jiquanshengtian

汉朝时候，高祖刘邦的孙子淮南王刘安，非常信奉道教，还编写了《神仙传》八卷，专论成仙之道和炼丹点金之术。

传说有一天，有8位老人登门求见，一个个神采飘逸，姿态不凡，刘安得到禀报，便让看门人试试他们到底有没有本事。于是，看门人对这8位老人说："我家王爷上欲寻长生不老之仙术，中欲得才识广博之儒生，

39

下欲求武力过人之猛士。你们这些人老态龙钟，不中用了！"老人们听了这话，纷纷议论道："好吧，嫌我们老，那就变小吧！"话音刚落，8位老人已变成8个十四五岁的孩子。看门人急忙报告刘安，刘安吃了一惊，连鞋都没来得及穿，光脚跑出门迎接。

转眼间，8个仙童又变成8位仙翁，并对刘安夸耀说："我们8人各有神通，不知王爷有何吩咐？"刘安说想要学会炼制仙丹的法术，仙翁们说这太容易了，便向刘安传授丹经36卷，教他依法炼出了丹药。

一天，按照仙翁们秘授机宜，刘安与8位仙翁一起登上高山，摆好祭品，试吃仙丹是否灵验。刘安郑重其事地祷告一番后，把仙丹放到嘴里吃了下去。果

rán líng yàn tā jiàn jiàn jué de zì jǐ de shēn tǐ biàn de qīng kuài qǐ
然灵验！他渐渐觉得自己的身体变得轻快起

lái suí hòu jìng suí zhe wèi
来，随后竟随着8位

xiān wēng shēng tiān ér qù tā men
仙翁升天而去。他们

fāng cái zhàn lì de shān dǐng yán shí
方才站立的山顶岩石

shang liú xià le gè qīng xī
上，留下了18个清晰

de jiǎo yìn gèng shén qí de
的脚印。更神奇的

shì liú ān tíng yuàn li
是，刘安庭院里

shèng xià de yì xiē xiān
剩下的一些仙

dān bèi jī gǒu dàng zuò
丹，被鸡狗当做

shí wù chī xià jié guǒ zhè xiē jī gǒu yě dōu chéng xiān shēng tiān ér qù
食物吃下，结果这些鸡狗也都成仙升天而去，

tiān kōng zhōng yí piàn jī míng gǒu jiào zhī shēng yì rén dé dào jī
天空中一片鸡鸣狗叫之声。"一人得道，鸡

quǎn shēng tiān de huà cóng cǐ liú chuán xià lái
犬升天"的话，从此流传下来。

**成长指南**

"鸡犬升天"比喻一个人做了官，和他有关的人也跟着得势。这个成语常用做贬义。小朋友们，世上没有仙人，也没有仙丹，我们可不要迷信哦！

# 守株待兔
····· shouzhudaitu

sòng guó yǒu gè zhòng zhuāng jia de rén　　yì tiān zài tián li gàn
宋国有个种庄稼的人，一天在田里干

huó　hū rán kàn dào yǒu zhī yě tù cóng yuǎn chù bēn guò lái　　zhǐ jiàn
活，忽然看到有只野兔从远处奔过来。只见

tā kuáng bēn luàn chuǎng　zuì hòu zhuàng zài yí gè shù zhuāng shang　tā zǒu
它狂奔乱闯，最后撞在一个树桩上。他走

jìn yí kàn　　nà yě tù yǐ zhé duàn tóu jǐng sǐ qù　　nóng fū gāo xìng
近一看，那野兔已折断头颈死去。农夫高兴

jí le　bǎ nà zhī sǐ tù jiǎn qǐ lái　　dài huí jiā qù měi měi chī le
极了，把那只死兔拣起来，带回家去美美吃了

yí dùn
一顿。

dì èr tiān　nóng fū fàng xià nóng jù　zài yě bú xià tián gàn huó
　第二天，农夫放下农具，再也不下田干活

le　tā jiù zuò zài nà ge shù zhuāng biān　děng dài zhe zài fā shēng yě
了。他就坐在那个树桩边，等待着再发生野

tù zhuàng shù zhuāng ér sǐ de shì　yǐ biàn bái bái jiǎn dào sǐ tù
兔撞树桩而死的事，以便白白拣到死兔。

yì tiān　liǎng tiān guò qù le
　一天、两天过去了，

shí tiān　bàn gè yuè guò qù le　nóng
十天、半个月过去了，农

夫再也没有等到第二只撞树桩的野兔,而田里的庄稼却荒芜了。人们都取笑他这种行为,并且很快传遍了宋国。其实,野兔撞在树桩上死去,这是非常偶然的事,它并不意味着别的野兔也一定会撞死在这个树桩上。可

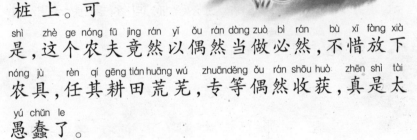

是,这个农夫竟然以偶然当做必然,不惜放下农具,任其耕田荒芜,专等偶然收获,真是太愚蠢了。

**成长指南**

"守株待兔"比喻不主动努力,存在侥幸心理,希望得到意外的收获。小朋友们,不靠自己勤恳劳动,而想靠碰好运过日子,是不会有好结果的!

# 请君入瓮

····· qingjunruweng

wǔ zé tiān shì zhōng guó lì shǐ shang wéi yī de yí wèi nǚ huáng
武则天是中国历史上惟一的一位女皇
dì tā wèi le wéi hù zì jǐ de tǒng zhì cǎi qǔ gāo yā de kǒng bù
帝，她为了维护自己的统治，采取高压的恐怖
zhèng cè bìng qiě jiǎng lì gào mì jiù suàn shì wū gào yě bú huì
政策，并且奖励告密。就算是诬告，也不会
shòu dào chǔ fèn
受到处分。

yě zhèng yīn wèi wǔ zé tiān cǎi qǔ zhè zhǒng zhèng cè suǒ
也正因为武则天采取这种政策，所
yǐ tā shǒu xià de yì xiē kù lì biàn xiǎng jìn bàn fǎ wū xiàn
以她手下的一些酷吏，便想尽办法诬陷

zhèng dí bìng bú duàn gǎi jìn xíng jù
政敌，并不断改进刑具
lái bī pò rén fàn rèn zuì zhè xiē
来逼迫人犯认罪。这些
kù lì zhōng zuì yǒu míng de yào shǔ
酷吏中，最有名的要数
dà chén zhōu xīng hé lái jùn chén le
大臣周兴和来俊臣了。
rán ér wǔ zé tiān duì zhè xiē kù
然而，武则天对这些酷
lì yě bú guò shì jiā yǐ lì yòng
吏也不过是加以利用，

当他们没有利用价值时，便也劫数难逃。

有一次，酷吏周兴被人密告伙同别人谋反，武则天便派来俊臣去审理这件案子，并且定下期限要得到结果。来俊臣一向和周兴关系不错，感到很棘手，他苦苦思索，终于想出一个办法。一天，来俊臣故意请周兴来他衙中聊天，说："唉！最近审问犯人老是没有结果，不知老兄可有什么新的绝招？"

周兴一向对刑具很有研究，时常研究出一些稀奇古怪的酷刑来逼供；所以，这一次他也没想到来俊臣是针对自己而发，便很得意地告诉来俊臣说：

"我最近发明一种新方法，你只要准备一个大瓮，四周放满炭火烧红，再把犯人放进去，无论他们多么狡猾，也受不了这个滋味，一定会招认的。"来俊臣听了，便吩咐手下人去抬来一个大瓮，照着刚才周兴说的方法，生上火，等大瓮已经被炭火烧得通红以后，他便站起身，突然把脸一板，阴鸷地对周兴说："有人告你谋反，现在太后命我来审问你，如果你不老老实实招认的话，那么我只好请你进这个大瓮了！"周兴听了大惊失色，知道这次自己绝对无法抵赖，只好俯首认罪。

### 成长指南

"请君入瓮"比喻用某人整治别人的办法来整治他自己。小朋友们，我们平常要心地善良，不要想坏点子害别人，否则可能会自食恶果呢！

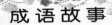

# 天衣无缝

..... tianyiwufeng

　　tángcháo shí yǒu gè yù shǐ míng jiào guō hàn cǐ rén shàn yú
　　唐朝时，有个御史，名叫郭翰。此人善于

guānchá fēn xī wèn tí xǔ duō guānyuán tān zāngwǎng fǎ de xíng wéi
观察分析问题。许多官员贪赃枉法的行为，

dōu bài lù zài tā de shǒuzhōng
都败露在他的手中。

　　shèng xià de yí gè wǎnshang tiān qì mēn rè guō hàn zài wū
　　盛夏的一个晚上，天气闷热，郭翰在屋

zi li shí zài shuì bú zhù le biàn bān le gè zhú chuáng dào yuàn zi li
子里实在睡不住了，便搬了个竹床到院子里

qù shuì
去睡。

　　yǎngmiàn tǎng zài zhú chuángshang tā kàn zhe jiǎo jié de yuè liang
　　仰面躺在竹床上，他看着皎洁的月亮，

biàn bié zhe mǎn tiān de xīng dǒu dào yě
辨别着满天的星斗，倒也

qù wèi àng rán
趣味盎然。

突然，他发现天空中有一女子由远及近飘然而下。郭翰几乎不相信自己的眼睛。用手揉一揉想把眼睛睁得更大些，看看清楚。

确实，是一个女子穿着五彩衣裙，散发着淡淡的香味，落在郭翰跟前。

郭翰看着那女子，不禁想起每年七月初七牛郎织女鹊桥相会的传说，脱口而出：

"你是天上的织女吧！"

美丽的织女回答说：

"我是天上的织女。"

郭翰目不转睛地看着美丽的织女，打量着那随风飘飞的衣裙。突然，他发现，织女的衣服没有缝纫的针脚，感到很奇怪，就问：

"咦？你的衣裙怎么是不用线缝的呢？"

织女说：

"我是天上的神仙，神仙穿的都是天衣，天衣本来就不是用针线缝合的，所以就不会有缝过的痕迹了。"

织女说完，轻盈地飘离地面，升向空中。

郭翰看着织女，嘴里喃喃地说：

"哦，原来天衣是没有缝的！"

**成长指南**

　　"天衣无缝"比喻事物完美自然，浑然一体，没有破绽。小朋友们，我们平常写作业或者做事情要仔细思考，力求做到天衣无缝！

# 狐假虎威

hujiahuwei

zhāo xī xù guān bài chǔ guó shàng jiāng jūn tǒng shuài jǔ guó sān jūn
昭奚恤官拜楚国上将军，统率举国三军
jiàng shì hào lìng yán míng lěi jiàn zhàn gōng shēng míng hè hè yǐ zhì
将士，号令严明，累建战功，声名赫赫，以至
lín guó de jūn chén bǎi xìng tīng dào tā de míng zi dōu xià de fā dǒu
邻国的君臣百姓听到他的名字都吓得发抖。

jì du zhāo xī xù de dà chén chèn jī xiàng chǔ wáng shuō huài huà
忌妒昭奚恤的大臣趁机向楚王说坏话：
dà wáng nín zhī dào me zhāo xī xù de wēi wàng kě bǐ nín dà duō
“大王，您知道么，昭奚恤的威望可比您大多
le lín jìn guó jiā bù zhī dào shuí shì chǔ wáng què dōu zhī dào tā shì
了，邻近国家不知道谁是楚王，却都知道他是
chǔ guó dà jiàng dà rén hái zi tīng dào zhāo xī xù de míng zi dōu jǐn
楚国大将，大人孩子听到昭奚恤的名字都紧
zhāng de bù zhī rú hé shì hǎo
张得不知如何是好。”

chǔ wáng tīng le jiāng xìn jiāng
楚王听了，将信将
yí tā bù jué de zhāo xī xù yǒu
疑，他不觉得昭奚恤有

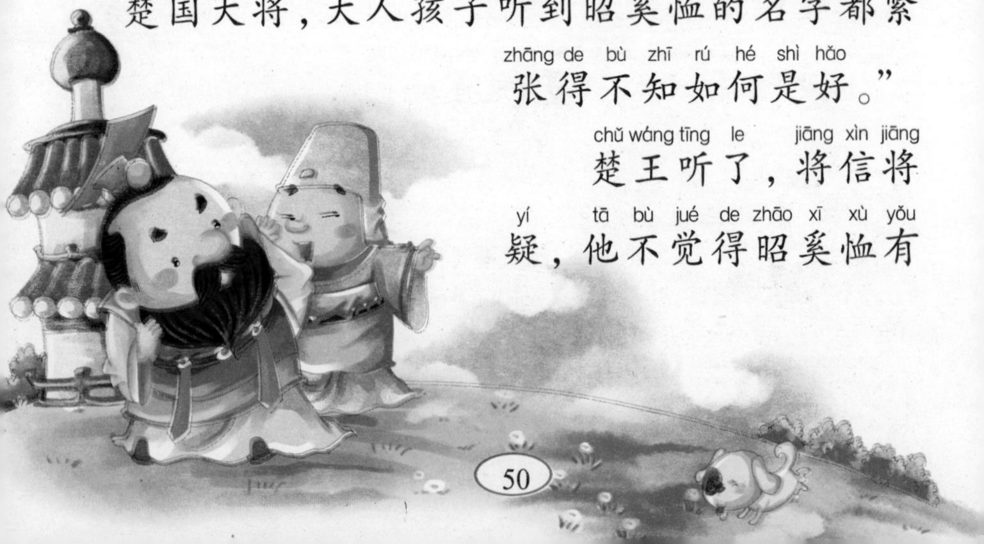

# 成语故事

多么可怕，他很想知道这件事的原因和真实

情况，为此，他找

来几个亲

信，问："有

人向我反

映，说昭奚

恤在邻国很有

威望，我想知道是否确有其事？如果真的这

样，我想了解产生事情的原因。"

　　楚王的话刚说完，憎恨昭奚恤的亲信立

刻解释说："邻国君臣百姓确实害怕昭奚恤，

不过依我看，实际是怕您。比方说，森林中

有一只猛虎饿得不堪忍受，出来找东西吃，恰

好看到一只狐狸。老虎猛扑过去，抓住狐狸，

正想饱餐一顿。狐狸眼见不能逃脱，急中生

智，故作镇静地说：'住口！你胆子也太大了。

wǒ shì tiān shén pài xià lái wéi
我是天神派下来为
bǎi shòu zhī wáng de nǐ chī
百兽之王的,你吃
le wǒ jiù shì fǎn kàng tiān
了我,就是反抗天
shén huì hěn kuài zāo
神,会很快遭
dào bào yìng de
到报应的。'

lǎo hǔ kàn
老虎看
kan hú li yáo yáo tóu shuō wǒ kàn nǐ zhè fù shòu xiǎo de yàng
看狐狸,摇摇头,说:'我看你这副瘦小的样
zi shí zài quē fá wéi wáng de wēi yán tiān shén píng shén me pài nǐ zhè
子,实在缺乏为王的威严,天神凭什么派你这
yàng de yí gè xiǎo dōng xi lái tǒng lǐng bǎi shòu nǐ néng xíng ma
样的一个小东西来统领百兽,你能行吗?'

hú li shuō wǒ liào dào nǐ bú huì xiāng xìn yīn wèi tiān shén
狐狸说:'我料到你不会相信,因为天神
méi lái de jí tōng zhī nǐ dàn lín zhōng de yě shòu dōu dé dào le tōng
没来得及通知你,但林中的野兽都得到了通
zhī tā men zhī dào wǒ shì xīn shàng rèn de bǎi shòu zhī wáng nǐ rú
知,它们知道我是新上任的百兽之王。你如
bù xiāng xìn kě yǐ zuò wǒ de hù wèi gēn zài shēn hòu dào lín zhōng
不相信,可以作我的护卫,跟在身后到林中
xún shì nǐ huì kàn dào lín zhōng de suǒ yǒu yě shòu kàn dào wǒ dōu xià
巡视。你会看到林中的所有野兽看到我都吓
de fēn fēn táo mìng
得纷纷逃命。'

lǎo hǔ xiǎng kàn kan shì shí jiù tóng yì gēn zài hú li de shēn
老虎想看看事实,就同意跟在狐狸的身

hòu　hú li dà mú dà yàng de zǒu zài qián miàn　lǎo hǔ màn màn zài
后。狐狸大模大样地走在前面，老虎慢慢在
hòu miàn gēn zhe　lín zhōng de yě shòu
后面跟着，林中的野兽
jiàn lǎo hǔ lái le　xià de táo
见老虎来了，吓得逃
pǎo bù dié　lǎo hǔ gēn běn bù
跑不迭。老虎根本不
zhī dào yě shòu hài pà de shì
知道野兽害怕的是
tā ér bú shì pà hú li
它，而不是怕狐狸。

zhāo xī xù bú
昭奚恤不
guò shì nà zhī hú li
过是那只狐狸，
ér nín cái shì lǎo hǔ
而您才是老虎。
rú guǒ nín bù gěi tā nà me dà quán lì　ràng tā tǒng shuài wàn mǎ qiān
如果您不给他那么大权力，让他统率万马千
jūn　shuí huì pà tā ne　zhè bú shì xiào huà ma
军，谁会怕他呢，这不是笑话吗？”
chǔ wáng diǎn diǎn tóu　xiàng shì míng bai le shén me
楚王点点头，像是明白了什么。

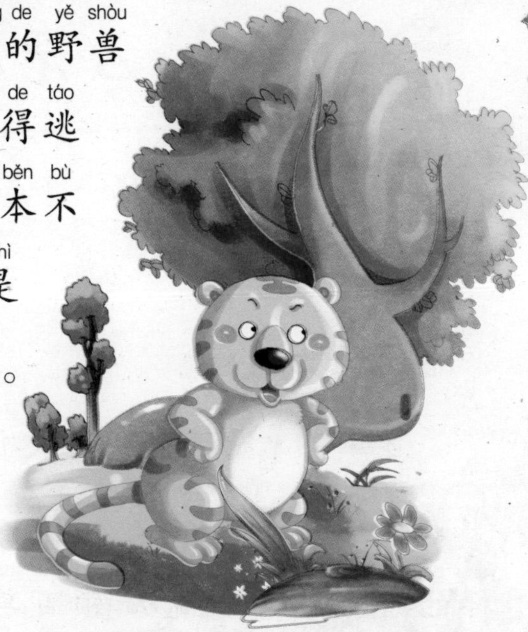

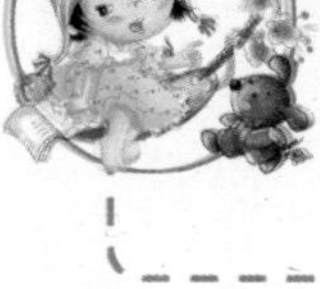

**成长指南**

“狐假虎威”比喻依仗别人的势力去欺压别人。虽然狐狸凭借老虎的威风吓跑别的动物，但这并不能改变它虚弱的本质，我们不要做仗势欺人的人！

# 大公无私
····· dagongwusi

春秋时期，有个叫祁黄羊的大夫，是晋平公的得力谋臣。

晋国的大事情，如官吏任免，晋平公都与祁黄羊商议后，才作决定。

一次晋平公对祁黄羊说："南阳县缺一个县令，你看派谁去比较称职？"

祁黄羊说："解狐才干敏练，通达政务，让他去好了。"

晋平公奇怪地问："你对解狐的印象很坏，平时你们从不交往，你怎么会推荐他去那么重要的县城作县令呢？"

祁黄羊说："大王问我，谁当南阳县令合适，并没有问我对谁的印象不佳呀。"

于是晋平公派解狐到南阳任职。解狐到了南阳，废除许多不合理的法规，公平处理诉讼，兴修水利，按时节督促农民种田养蚕，动员农民开垦荒地。南阳县的百姓对解狐非常爱戴。南阳上缴的赋税也有大幅度增加，晋平公对解狐的政绩感到满意，更满意祁黄羊荐举人才得当。

当时晋国的法律很不健全，地方官贪赃枉法，草菅人命，富人恣意妄为。欺压良善，经常有人到京城告状。朝中急需一名法官审理这些案件。

一天，晋平公征询祁黄羊的意见说："朝中缺一名法官，你看谁担任比较合适？"

祁黄羊说："祁午当法官很合适。他公正廉洁，不徇私情，执法严明。"

晋平公惊讶地说："祁午不是你的儿子么，你推荐他当法官，不怕引起人们的非议吗？"祁黄羊襟怀坦荡地说："你问我谁可当

fǎ guān    wǒ zhǐ kǎo lǜ shuí
法官，我只考虑谁

dāng fǎ guān chèn
当法官称

zhí    gēn běn méi
职，根本没

xiǎng guò wǒ yǔ
想过我与

bèi tuī jiàn rén de guān xi    qí wǔ shì wǒ de ér zi    wǒ zhī dào
被推荐人的关系。祁午是我的儿子，我知道

tā huì chéng wéi yì míng chèn zhí de fǎ guān  suǒ yǐ tuī jiàn le tā
他会成为一名称职的法官，所以推荐了他。"

jìn píng gōng suī rán rèn mìng qí wǔ dāng le fǎ guān  zǒng jué de
晋平公虽然任命祁午当了法官，总觉得

yǒu xiē fàng xīn bú xià    bú duàn de pài rén liǎo jiě qí wǔ de rèn zhí
有些放心不下，不断地派人了解祁午的任职

qíngkuàng    tā liǎo jiě dào    qí wǔ kè jìn zhí shǒu  bàn shì gōngzhèng
情况。他了解到，祁午恪尽职守，办事公正，

hěn dé zhòng rén de hǎo píng  cóng cǐ duì qí huángyáng gèng jiā xìn rèn
很得众人的好评。从此对祁黄羊更加信任。

kǒng zǐ tīng shuō zhè jiàn shì  píng jià shuō    qí huángyáng zhēn shì dà gōng
孔子听说这件事，评价说："祁黄羊真是大公

wú sī ya  jiàn jǔ rén cái bù huí bì chóu rén    yě bù huí bì qīn rén
无私呀，荐举人才不回避仇人，也不回避亲人。"

## 成长指南

　　"大公无私"是指办事公正，没有私心。小朋友们，我们要像祁午学习，公私分明，不要做公报私仇这样的事情！

57

# 迎刃而解

····· yingrenerjie

杜预是唐代大诗人杜甫的远祖,他酷爱《左传》,被当时的人称为"左传癖"。著有《春秋左氏经传集解》《春秋释例》《春秋长历》等书,其中《集解》一书是流传至今最早的一种,列在《十三经注疏》中。

杜预在历史上的贡献不仅在于学术方面,更重要的在于武功方面。

他为结束三足鼎立的分裂局面立下了

bù kě mó miè de gōng xūn
不可磨灭的功勋。

gōng yuán nián sī mǎ yán
公元266年，司马炎
fèi wèi yuán dì cáo huàn gǎi guó
废魏元帝曹奂，改国
hào wéi jìn mìng dà jiàng yáng hù
号为晋，命大将羊祜
jìn zhù yào tūn bìng dōng wú
进驻，要吞并东吴。

bù jiǔ yáng hù bìng gù
不久，羊祜病故，
lín zhōng zhī qián shàng shū sī mǎ
临终之前，上书司马

yán tuī jiàn dù yù jiē tì tā de zhí wù wán chéng tǒng yī dà yè
炎推荐杜预接替他的职务，完成统一大业。
yú shì sī mǎ yán rèn mìng dù yù wéi zhèn nán dà jiàng jūn zǒng dū jīng
于是司马炎任命杜预为镇南大将军，总督荆
zhōu jūn shì
州军事。

gōng yuán nián dù yù fèng mìng shuài jūn jìn gōng dōng wú wú
公元280年，杜预奉命率军进攻东吴。吴
zhǔ sūn hào cāng cù mìng jiàng dǐ kàng bèi dù yù yíng tóu tòng jī dǎ le
主孙皓仓促命将抵抗，被杜预迎头痛击，打了
gè luò huā liú shuǐ kuì bù chéng jūn lián xù shī xiàn shí jǐ zuò chéng
个落花流水，溃不成军，连续失陷十几座城
chí dōng wú dū dū děng bù jiàng bǎi shí yú rén bèi dù yù yòng jì huó
池。东吴都督等部将百十余人被杜预用计活
zhuō jìn jūn bīng wēi dà zhèn wú guó wēi zài dàn xī zhè shí yǒu rén
捉，晋军兵威大振，吴国危在旦夕。这时有人
xiàng sī mǎ yán jìn yán jiàn yì jiù cǐ shōu bīng
向司马炎进言，建议就此收兵。

司马炎奇怪地问："目前形势对我军大为有利，正好趁士气旺盛，一举吞吴，你让我收兵是什么意思？"

那个人说："孙吴立国多年，军事实力不可低估，很难在短期内完全摧垮。况且时值酷暑，高温多雨，河水猛涨，泛滥成灾，疾病

瘟疫一旦流行时对大部队作战十分有害；不如待到大雪封江时集中兵马，全力南下，一鼓作气灭掉孙吴。"

司马炎写信，征求杜预的意见。杜预认为敌胆已破，吴主丧尽民心，正好乘胜进兵，他立即写信说："战国时期，燕昭王派大将乐毅攻齐，乐毅凭借济西一战之威，连破齐国七十余城。"

杜预(dù yù)笔锋一转(bǐ fēng yì zhuǎn)，接下去(jiē xià qù)写道(xiě dào)："于今晋(yú jīn jìn)兵连连(bīng lián lián)取胜(qǔ shèng)，军威大振(jūn wēi dà zhèn)；吴军士气低落(wú jūn shì qì dī luò)，不堪一击(bù kān yì jī)。犹如劈竹(yóu rú pī zhú)，破开头一节(pò kāi tóu yì jié)，后面的碰到刀锋自然(hòu miàn de pèng dào dāo fēng zì rán)破开(pò kāi)（譬如破竹(pì rú pò zhú)，数节之后(shù jié zhī hòu)，皆迎刃而解(jiē yíng rèn ér jiě)），无(wú)须费力(xū fèi lì)。"司马炎命杜预立即进军(sī mǎ yán mìng dù yù lì jí jìn jūn)，很快灭掉(hěn kuài miè diào)了东吴(le dōng wú)。

**成长指南**

"迎刃而解"比喻主要问题解决了，其他问题就很容易解决。小朋友们，当我们遇到问题时，首先要找出重点，解决主要问题哦！

# 死灰复燃

sihuifuran

韩安国，字长孺，汉时睢阳人，原在汉景帝之弟梁孝王刘武手下当差，后来因事被捕，关押在蒙地监狱中。狱吏田甲以为韩安国失势，常常借故凌辱他，安国怒道："你把我看成熄了火头的灰烬，难道死灰就不会复燃？"

田甲嘿嘿一笑，说道："倘若死灰复燃，我就撒尿浇灭它！"

不久，韩安国入狱的事引起太后关注。太后亲自下诏要梁王起用韩安国。韩安国被释放后，狱吏田甲

# 成语故事

pà tā bào fù  lián yè táo zǒu  hán ān guó tīng shuō yù lì táo wáng
怕他报复，连夜逃走。韩安国听说狱吏逃亡，

gù yì yáng yán shuō  tián jiǎ rú bù gǎn kuài huí lái  jiù zǎi le tā yì
故意扬言说，田甲如不赶快回来，就宰了他一

jiā lǎo xiǎo  tián jiǎ zhǐ hǎo lái xiàng hán ān guó qǐng zuì  hán ān guó
家老小。田甲只好来向韩安国请罪。韩安国

fěng cì tā dào  xiàn zài sǐ huī fù rán  nǐ kě yǐ sā niào le
讽刺他道："现在死灰复燃，你可以撒尿了……"

tián jiǎ xià de miàn wú rén sè  lián lián kē tóu
田甲吓得面无人色，连连磕头

qiú ráo
求饶。

qǐ lái ba  xiàng nǐ zhè yàng de
"起来吧。像你这样的

rén  cái bù zhí de wǒ bào fù
人，才不值得我报复

ne  hán ān guó miàn wú
呢！"韩安国面无

nù sè  bìng wú chéng fá
怒色，并无惩罚

tián jiǎ zhī yì
田甲之意。

tián jiǎ dà gǎn yì wài  gèng jiā jué de wú dì zì róng
田甲大感意外，更加觉得无地自容。

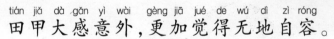

## 成长指南

　　"死灰复燃"比喻失势的人重新得势，也比喻已经停止活动的事物又重新活动起来。小朋友们，田甲见韩安国失势便欺凌他，我们不要像他那样！

63

# 丧家之犬

····· sangjiazhiquan

kǒng zǐ cóng suì kāi shǐ bàn sī xué jǐ nián zhī nèi jiù chū
孔子从30岁开始办私学,几年之内就出

le míng zhāo lái le dà pī dì zǐ
了名,招来了大批弟子。

dàn zhí dào suì nà nián tā cái bèi
但直到50岁那年,他才被

lǔ dìng gōng rèn mìng wéi zhōng dū jīn shān dōng wèn
鲁定公任命为中都(今山东汶

shàng zǎi shàng rèn cái yì nián zhōng dū chū xiàn
上)宰。上任才一年,中都出现

le tài píng de jǐng xiàng
了太平的景象。

guò le yì nián lǔ dìng
过了一年,鲁定

gōng shēng tā wéi guǎn lǐ gōng chéng
公升他为管理工程

jiàn zhù de sī kōng hòu lái yòu
建筑的司空;后来,又

shēng tā wéi zhǔ guǎn sī fǎ hé
升他为主管司法和

zhì ān de sī kòu dàn shì
治安的司寇。但是,

tā dān rèn zhè ge zhí wù de
他担任这个职务的

时间并不长。55岁那年,他因为对鲁定公接受齐国送来的美女表示不满,便和弟子们离开了鲁国。

孔子先后到卫、陈、宋等诸侯国,那里都容不了他。于是,他又来到郑国。

不料出了一个意外,在都城的东门外,孔子和他的弟子们走散了,只好孤零零地站在城门下等候。

他的弟子子贡焦急地到处寻找孔子。有个郑国人问他找谁,他急切地说:"哦,我在找我的老师,不知你见到他吗?"

那郑国人回答说："东门口有个老头儿，相貌不伦不类，非常古怪。他脑门有点像尧帝，脖子有点像皋陶，肩膀有点像子产。不过，他那没精打采的样子，活像一条居丧人家的狗。不知他是否是你的老师？"

子贡赶紧来到东门，找到了孔子，如实地将那郑国人的话说了，孔子听后笑着说："他说我像这像那，倒是未必；而说我像居丧人家的狗，是说对了！说对了！"

**成长指南**

　　"丧家之犬"指无家可归的狗，比喻无处投奔，到处乱窜的人。小朋友们，虽然别人把孔子比喻为狗，但孔子毫不介意，他的胸怀值得我们学习！

# 呕心沥血

ouxinlixue

lǐ hè　táng dài zhù míng shī rén　　qī suì néng xiě shī zuò wén
李贺，唐代著名诗人。七岁能写诗作文，

shí yú suì biàn míng yáng wén tán　xiāng chuán lǐ hè zuò shī bù xiān lì
十余岁便名扬文坛。相传李贺作诗不先立

tí　ér shì zhù yì dào shēng huó zhōng qù fā jué sù cái
题，而是注意到生活中去发掘素材。

tā měi cì wài chū zǒng shì qí yì pǐ shòu mǎ　dài yì míng xiǎo
他每次外出总是骑一匹瘦马，带一名小

tóng　bēi yí gè jǐn náng　biān zǒu biān sī suǒ　yín dé jiā jù　jiù
童，背一个锦囊，边走边思索，吟得佳句，就

yòng suí shēn suǒ dài bǐ yàn　zài mǎ shang xiě chéng zhǐ juàn　tóu rù jǐn náng
用随身所带笔砚，在马上写成纸卷，投入锦囊。

yǒu shí tā mǎn zài ér
有时他满载而

guī　náng zhōng gǔ gǔ de
归，囊中鼓鼓的；

yǒu shí zhōng rì qióng sī kǔ
有时终日穷思苦

suǒ　jìng wú jiā jù kě
索，竟无佳句可

dé　náng kōng rú xǐ
得，囊空如洗。

tā mǔ qīn děng tā
他母亲等他

回家，清囊检视纸笔，发现写得很多，常常爱怜地埋怨他说："你这孩儿，难道要把心血都呕出来，才肯罢休呀！"李贺的确倾注全部心力于诗歌创作。

许多代代相传的名句，如"天若有情天亦老"，"黑云压城城欲摧"，"雄鸡一声天下白"等，都出自李贺笔下，是他精心锤炼得来的。他作诗太刻苦，损坏了健康，只活到二十七岁便去世了，却给后世留下不少具有独特艺术风格的诗篇，为中国诗坛增放异彩。

**成长指南**

"呕心沥血"比喻用尽心思。小朋友们，对自己热爱的事业用心钻研没有错，但在努力的同时也要注意自己的健康，有健康的身体才能更好的创作！

# 一字之师
····· yizizhishi

唐朝时，有个法号叫齐己的和尚，住在江陵龙兴寺，学识渊博，能诗善文，自号衡岳沙门。

冬天的一个早晨，他刚做完早课，一个小和尚喜形于色地跑进佛堂连声喊道：

"师父，后园的梅花开了，快去观赏！"

齐己一听，立即起身到后园去。进入后园，远远望去，确有几枝梅花已傲然怒放。

"嗬！真是太美了，简直就是一首诗！"

齐己赞叹着，观赏着，一首咏梅诗便在他脑海里酝酿而成，脱口而出：

"万木冻欲折，孤根暖独回。前村深雪里，昨夜数枝开……"

《早梅》诗写好后，齐己和尚照例又拿出请他的文友们品评。文友们看了后，都觉得写得不错，其中有个人说：

"袁州（江西宜春）的郑谷，善写《鹧鸪诗》，人称郑鹧鸪。这人诗文的特点就是用词准确、生动，师父不妨去请他看看。"

齐己听了，立即带了自己的《早梅》诗，动身去郑谷家。

郑谷读了《早梅》一诗后，沉思片刻，说：

"……既为《早梅》,'昨夜数枝开'这句不足以点明'早'字,不如把'数枝'改为'一枝'的好。"

齐己听了郑谷的话,觉得十分有道理,佩服极了,便口称老师跪下来虔诚地向郑谷行礼。

其他一些文人,觉得郑谷只替齐己的诗改换了一个字,全诗就显得确切,生动多了,便都说郑谷是齐己的"一字之师"。

**成长指南**

有些好诗文,经旁人改换一个字后更完美,改字的人常被称为"一字之师"。小朋友们,古人对待学问的严谨态度多么值得我们学习呀!

# 塞翁失马
saiwengshima

从前，在西北某个要塞附近，住着一个老翁。一天，他儿子的一匹马忽然逃到塞外去了，无法去寻找，为此很懊丧。

附近的人知道后，都来安慰他，可是，失主的父亲却毫不在乎地对大家说："逃失了一匹马，怎么知道不是一件好事呢？"大家对他这话的意思不理解，也不便询问，只好离去。

过了几个月，发生了一件意想不到的事：逃失的

72

mǎ hū rán huí lái　　bìng qiě dài lái yì pǐ gāo dà de jùn mǎ
马忽然回来,并且带来一匹高大的骏马。

　　　fù jìn de rén zhī dào le　　fēn fēn lái qìng hè　　bìng rèn wéi lǎo
　　附近的人知道了,纷纷来庆贺,并认为老

wēng xiān qián jiǎng de huà
翁先前讲的话

hěn yǒu dào lǐ
很有道理。

　　　bú liào
　　不料,

lǎo wēng duì cǐ
老翁对此

bìng bù gǎn dào
并不感到

gāo xìng　fǎn ér
高兴,反而

lěng lěng de shuō　　　táo shī de mǎ shì huí lái le　　hái dài lái le pǐ
冷冷地说:"逃失的马是回来了,还带来了匹

jùn mǎ　　dàn zěn me zhī dào zhè bú huì chéng wéi yí jiàn huài shì ne
骏马,但怎么知道这不会成为一件坏事呢?"

dà jiā tīng le　　xīn li dōu nà qǐ mèn lái　　zhè lǎo wēng tài guài le
大家听了,心里都纳起闷来:这老翁太怪了,

míng míng shì jiàn hǎo shì　zěn me yòu qù xiǎng dào huài shì ne
明明是件好事,怎么又去想到坏事呢?

　　　　lǎo wēng de huà yòu jiǎng duì le　　ér zi hěn xǐ ài nà pǐ jùn
　　老翁的话又讲对了。儿子很喜爱那匹骏

mǎ　　jīng cháng qù qí tā　　bú liào yí cì bú shèn shuāi xià　diē zhé
马,经常去骑它。不料一次不慎摔下,跌折

le jiǎo gǔ　dài lái le bú xìng　　fù jìn de rén dōu shàng mén qù wèi
了脚骨,带来了不幸。附近的人都上门去慰

wèn　　xiǎng bú dào lǎo wēng yòu shuō le　dà jiā bù néng lǐ jiě de huà
问。想不到老翁又说了大家不能理解的话:

"跌折了脚骨，又怎么知道不会成为一件好事呢？"

果然，一年后，塞外的匈奴兴兵入侵。老

翁家附近的青壮年都应征入伍去征战，结果大多数战死，家里的老人没人照顾，有的因此而死去。而老翁的儿子因为脚跛，未被应征入伍，从而和老翁都保全了性命。

---

**成长指南**

"塞翁失马"比喻一时虽然受到损失，也许反而因此能得到好处。小朋友们，当我们遇到什么不好的事情，不要沮丧，也许是塞翁失马呢！

# 熟能生巧
·····shunengshengqiao

北宋有个名叫陈尧咨的人很会射箭。当
时在他生活的那个地方，确实没有人能比得
上他。他因此十分得意。觉得自己很了不起。

一次，他在家中园内练习射箭，几乎箭
箭都命中靶子，看的人无不为之叫好。可是
却有个卖油的老汉放下肩挑的油担，用一种
轻视的眼光看他射
箭，似乎对他的箭
术很不以
为然，只是
偶尔点几
下头。老

75

汉对周围的人说:"这没什么稀奇!"

陈尧咨听到了,很是不满,便问他:"难道你也懂得射箭?难道我的箭术不高明吗?"

老汉笑了笑,说道:"你的箭法好,我也不会射箭。但这并不稀奇,不过是手熟罢了。"

陈尧咨更生气了。心想:这不是小看我的箭术,又是什么呢?这个人说话这么大口气,难道他也有绝顶的本事?

他正想发问,只见老汉坦然地说道;"以我的酌油技巧,我就可知道这一点。"

老汉不慌不忙地取出一个葫芦又取出一个铜钱盖在葫芦口上,然后用木勺在

油桶里舀了一勺油，慢慢地将油倒下，油从铜钱的方孔中，像一条直线似的，直往葫芦里灌，一勺子油全部倒完，葫芦口的铜钱居然没沾半点油迹。

这时，老汉抬起头，对陈尧咨说："我也没什么特别的本领，只不过熟能生巧罢了。"

陈尧咨看着老汉酌油的熟练手法，心里明白了许多，笑了笑，把老汉送出了家园。

**成长指南**

小朋友们，这个故事告诉我们，不管做什么事情，只要勤学苦练掌握规律，就能找出许多窍门，干起来得心应手！

# 削足适履
····· xiāozúshìlǚ

《淮南子·说林训》一书中记载两则历史故事：

春秋时，楚灵王亲自带领战车千乘，雄兵十万，一举吞并蔡国，派他的弟弟弃疾留守蔡国，全权处理军政大计，然后率军继续推进，准备进一步灭掉徐国。

弃疾为人品行不端，野心很大，不甘心仅仅充当管理蔡

guó zhè kuài xiǎo dì fang de shǒu nǎo chángcháng wèi cǐ mèn mèn bú lè
国这块小地方的首脑，常常为此闷闷不乐。

tā shǒu xià yǒu gè móu shì míng jiào cháo wú fēi chánggōng yú xīn jì
他手下有个谋士名叫朝吴，非常工于心计。

yì tiān tā wèn qì jí shuō wǒ kàn nín jìn lái zǒng shì
一天，他问弃疾，说："我看您近来总是

bú dà gāo xìng néng gào su wǒ wèi shén me ma yě xǔ wǒ néng wèi
不大高兴，能告诉我为什么吗？也许我能为

nín chū diǎn zhǔ yi
您出点主意。"

qì jí shuō cài guó zhè ge dì fang tài xiǎo le méi shén me
弃疾说："蔡国这个地方太小了，没什么

fā zhǎn qián tú nǐ yǒu hé miào jì
发展前途，你有何妙计？"

cháo wú shuō xiàn zài líng wáng chū zhēng zài wài guó nèi yí dìng
朝吴说："现在灵王出征在外，国内一定

kōng xū nǐ chèn cǐ shí yǐn bīng huí guó shā diào líng wáng de ér zi
空虚，你趁此时引兵回国，杀掉灵王的儿子，

lìng lì xīn jūn yóu nǐ cái jué cháozhèng jiāng lái
另立新君，由你裁决朝政，将来

bù nán dāngshàng guó jūn
不难当上国君。"

qì jí tīng le cháo wú de huà
弃疾听了朝吴的话，

huí dào chǔ guó shā le líng wáng de ér
回到楚国，杀了灵王的儿

zi lì tā de gē ge zǐ wǔ wéi
子，立他的哥哥子午为

guó jūn hòu lái tīng shuō líng wáng
国君。后来听说，灵王

wén zhī guó nèi yǒu biàn ér zi bèi
闻知国内有变，儿子被

79

杀，也上吊自杀。弃疾便威逼子午自杀，自立为王，就是臭名昭著的楚平王。

另一件事是：晋献公宠爱骊姬，对骊姬的话言听计从，立骊姬所生的幼子奚齐为太子，而将原来的太子申生杀害。

骊姬觉得申生虽死，献公的另外两个儿子重耳和夷吾已经成人，对奚齐将来承继王位仍然构成威胁，便对晋献公说："申生虽然死了，重耳和夷吾还在国内，将来奚齐为君，他二人如联合旧臣捣乱，奚齐能安安稳稳当好国君吗？"

晋献公问："我也担心这个问题，依你之见，应

gāi rú hé
该如何？"

lí jī jiàn yì shā le chóng ěr xiōng di    jìn xiàn gōng xīn rán tóng
骊姬建议杀了重耳兄弟，晋献公欣然同

yì    tā men de mì móu bèi zhèng zhí de dà chén dé zhī    lì jí zhuǎn
意。他们的密谋被正直的大臣得知，立即转

gào chóng ěr    yí wú    èr rén tīng shuō hòu    lì jí fēn tóu liú wáng
告重耳、夷吾。二人听说后，立即分头流亡

guó wài qù le
国外去了。

huái nán zǐ    yì shū zuò zhě liú ān píng lùn zhè jiàn shì shí
《淮南子》一书作者刘安评论这件事时

shuō    tīng xìn huài rén de huà    shǐ fù zǐ    xiōng di zì xiāng cán shā
说："听信坏人的话，使父子、兄弟自相残杀

jiù xiàng kǎn qù jiǎo zhǐ qù shì yìng xié de dà xiǎo yí yàng yóu
就像砍去脚趾去适应鞋的大小一样(犹

xiāo zú shì lǚ    tài bù míng zhì le
削足适履)，太不明智了。"

成长指南

　　"削足适履"是指把脚削去一块来凑合鞋的大小，比喻不合理的牵就凑合，生搬硬套，不懂变通。小朋友们，我们不要做削足适履这样的事情哦！

# 胯下之辱

· · · · · kuaxiazhiru

战国时期，有两种知识分子最容易施展抱负，出人头地：一种是有一套行之有效的富国强兵的办法的人，一旦得到国君信任，马上就会由平民百姓变成权势显赫的大臣，如：苏秦、张仪、范雎、商鞅等。还有一种是善于用兵的人，一旦被任命为将军，立即大展宏图，成为千秋名将，如孙武、乐毅等。

受这种风气的影响，韩信从小就喜欢读兵书，他对《孙子兵法》一书的理解有万人不及的独到之处。

然而，这种知识只能用于指挥打仗，从事其他行业，派不上用场，有机会登坛拜将，便能立下赫赫战功，当不上将军则为穷人一个。韩信在从军之前，穷困潦倒，但他觉得，作为未来的将军，必须像个将军的样子，所以出门时，有意无意之中，总佩带利剑，几乎成了习惯，尽管他的剑术并不出色。

一天，韩信心里有点烦闷，到酒馆喝了几杯酒。他的酒量不大，几杯下肚，便有了几分醉意，应了借酒消愁愁更愁的那句老话。韩信从酒馆出来，面带醉意，走路摇摇晃晃，有点散脚。

他转过小街，被一个无赖迎面拦住。无赖双腿叉开，两臂抱着肩膀，一副蛮横无礼的样子对韩信说："瞧你个头不小，还带着宝剑，你敢与我比试剑术吗？"

韩信抬头看看对方，觉得无赖可能精通剑术，自认没有必胜的把握，况且动起手来，不死即伤，太不值得。便摇摇头，说："我剑术不行，不用比我就知道，肯定不是你的对手。"

无赖说："你剑术虽然差些，杀人你会吧，我不还手，你把我杀了吧。"

韩信说："我与你素不相识，又无怨无恨，我杀你干吗？"

无赖说："看来，你个头不小，胆却不大，连杀人都不敢。那么你从我的胯下钻过去，不然，今

tiān méi wán
天没完。"

zhè shí　　lù shangxíng rén fēn fēn wéi guò lái kàn rè nao　 hán
这时，路上行人纷纷围过来看热闹。韩

xìn niē zhù jiàn bǐng　　　nù shì wú lài
信捏住剑柄，怒视无赖，

zhuǎn niàn yì xiǎng　　shā le rén huì
转念一想，杀了人会

chángmìng　 wèi miǎn
偿命，未免

yīn xiǎo shī dà　 hái
因小失大，还

shi rěn xià nù qì
是忍下怒气

wéi hǎo　　yú shì
为好。于是

hán xìn bú gù kàn
韩信不顾看

rè nao rén de cháo xiào　　qiáng rěn xiōngzhōng nù　 qì　　cóng wú lài kuà xià
热闹人的嘲笑，强忍胸中怒气，从无赖胯下

zuān le guò qù　　rán hòu　　tóu yě bù huí de zǒu le
钻了过去，然后，头也不回地走了。

**成长指南**

　　"胯下之辱"指从胯下爬过的耻辱。小朋友们，韩信并不是怕那些无赖，而是为了长远考虑，我们平时遇到纠纷，不要逞勇斗狠，否则可能犯下大错！

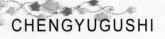

# 人面桃花

**·····renmiantaohua**

tángcháo de shíhou　yǒu yí gè jiào cuī hù de shūshēng jìn jīng
唐朝的时候，有一个叫崔护的书生进京

yìng kǎo　qīng míng jié zhè tiān xián zhe wú shì　tā dú zì yì rén dào
应考。清明节这天闲着无事，他独自一人到

chéng nán jiāo wài qù yóu wán　zǒu zhe zǒu zhe　tā fā xiàn yí piàn zhù
城南郊外去游玩。走着走着，他发现一片住

zhái yǎn yìng zài shù lín zhī zhōng　shí fēn yǎ zhì　cuī hù zǒu jìn mén
宅掩映在树林之中，十分雅致。崔护走近门

qián　qiáo le qiáo réng wú rén chū lái　biàn shēn shǒu qù kòu mén fēi
前，瞧了瞧仍无人出来，便伸手去扣门扉。

mén yìng shēng ér kāi　cóng mén fèng li shǎn chū yí wèi piào liang de
门应声而开，从门缝里闪出一位漂亮的

nián qīng nǚ zǐ　jiāo shēng de xún wèn　xiànggong　nín zhǎo shuí ya
年轻女子，娇声地询问："相公，您找谁呀？"

ō　wǒ shì cuī hù　qīng míng dú
"哦，我是崔护……清明独

yóu　kǒu kě qiú yǐn　qǐngshǎng
游，口渴求饮，请赏

86

些水喝……"崔护有些慌乱，语无伦次地说。

那位小姐倒很大方地请崔护进了院子，取来

一杯水送到崔护手里。

然后，小姐自己倚在小桃树上，亭亭玉

立，宛如一朵

盛开的桃花，

美丽极了。崔

护望着她，顿

时产生一种

倾慕之情。其

实，小姐对眼

前这位眉清目秀的书生也很有好感。

从此，崔护时常思念那位小姐。到了第

二年的清明节，崔护又独自去城南郊外，专

门寻找她。房舍仍是那样清幽，桃花又是盛

开如云，可是主人的院门却紧锁着。崔护在

门前伫立很久，不禁有一种凄凉之感。他取出笔墨，在门扉上题了一首诗："去年今日此门中，人面桃花相映红。人面不知何处去？桃花依旧笑春风。"写完诗崔护自吟了两遍，怅惘地转身离去。

回到馆舍里，崔护忧心忡忡，总是想念那个不知姓名的小姐。几天以后，他又去寻访那户人家。刚刚走近宅子，便听见一阵哭声。崔护慌忙扣门进院，询问发生了什么事情。开门的正是小姐的老父。他知道眼前来的就是崔护，不禁更加伤心地说道："你这个崔护呀，害死了我的宝贝女儿……"崔护有点莫名其

<ruby>妙<rt>miào</rt></ruby>，<ruby>忙<rt>máng</rt></ruby><ruby>向<rt>xiàng</rt></ruby><ruby>老<rt>lǎo</rt></ruby><ruby>人<rt>rén</rt></ruby><ruby>问<rt>wèn</rt></ruby><ruby>明<rt>míng</rt></ruby><ruby>情<rt>qíng</rt></ruby><ruby>况<rt>kuàng</rt></ruby>。<ruby>原<rt>yuán</rt></ruby><ruby>来<rt>lái</rt></ruby>，<ruby>那<rt>nà</rt></ruby><ruby>小<rt>xiǎo</rt></ruby><ruby>姐<rt>jiě</rt></ruby><ruby>是<rt>shì</rt></ruby><ruby>个<rt>gè</rt></ruby><ruby>女<rt>nǚ</rt></ruby><ruby>才<rt>cái</rt></ruby><ruby>子<rt>zǐ</rt></ruby>，<ruby>能<rt>néng</rt></ruby><ruby>诗<rt>shī</rt></ruby><ruby>能<rt>néng</rt></ruby><ruby>赋<rt>fù</rt></ruby>，<ruby>见<rt>jiàn</rt></ruby><ruby>了<rt>le</rt></ruby><ruby>崔<rt>cuī</rt></ruby><ruby>护<rt>hù</rt></ruby><ruby>的<rt>de</rt></ruby><ruby>题<rt>tí</rt></ruby><ruby>诗<rt>shī</rt></ruby>，<ruby>害<rt>hài</rt></ruby><ruby>上<rt>shàng</rt></ruby><ruby>了<rt>le</rt></ruby><ruby>相<rt>xiāng</rt></ruby><ruby>思<rt>sī</rt></ruby><ruby>病<rt>bìng</rt></ruby>，<ruby>日<rt>rì</rt></ruby><ruby>夜<rt>yè</rt></ruby><ruby>想<rt>xiǎng</rt></ruby><ruby>见<rt>jiàn</rt></ruby><ruby>崔<rt>cuī</rt></ruby><ruby>护<rt>hù</rt></ruby>，<ruby>以<rt>yǐ</rt></ruby><ruby>致<rt>zhì</rt></ruby><ruby>饭<rt>fàn</rt></ruby><ruby>茶<rt>chá</rt></ruby><ruby>不<rt>bú</rt></ruby><ruby>进<rt>jìn</rt></ruby>，<ruby>绝<rt>jué</rt></ruby><ruby>食<rt>shí</rt></ruby><ruby>而<rt>ér</rt></ruby><ruby>死<rt>sǐ</rt></ruby>。

<ruby>崔<rt>cuī</rt></ruby><ruby>护<rt>hù</rt></ruby><ruby>听<rt>tīng</rt></ruby><ruby>了<rt>le</rt></ruby><ruby>这<rt>zhè</rt></ruby><ruby>番<rt>fān</rt></ruby><ruby>话<rt>huà</rt></ruby>，<ruby>又<rt>yòu</rt></ruby><ruby>看<rt>kàn</rt></ruby><ruby>见<rt>jiàn</rt></ruby><ruby>心<rt>xīn</rt></ruby><ruby>爱<rt>ài</rt></ruby><ruby>的<rt>de</rt></ruby><ruby>小<rt>xiǎo</rt></ruby><ruby>姐<rt>jiě</rt></ruby><ruby>死<rt>sǐ</rt></ruby><ruby>在<rt>zài</rt></ruby><ruby>床<rt>chuáng</rt></ruby><ruby>上<rt>shang</rt></ruby>，<ruby>心<rt>xīn</rt></ruby><ruby>中<rt>zhōng</rt></ruby><ruby>万<rt>wàn</rt></ruby><ruby>分<rt>fēn</rt></ruby><ruby>悲<rt>bēi</rt></ruby><ruby>痛<rt>tòng</rt></ruby>，<ruby>不<rt>bù</rt></ruby><ruby>由<rt>yóu</rt></ruby><ruby>得<rt>de</rt></ruby><ruby>放<rt>fàng</rt></ruby><ruby>声<rt>shēng</rt></ruby><ruby>恸<rt>tòng</rt></ruby><ruby>哭<rt>kū</rt></ruby>，<ruby>抱<rt>bào</rt></ruby><ruby>着<rt>zhe</rt></ruby><ruby>姑<rt>gū</rt></ruby><ruby>娘<rt>niáng</rt></ruby><ruby>的<rt>de</rt></ruby><ruby>头<rt>tóu</rt></ruby><ruby>撕<rt>sī</rt></ruby><ruby>肝<rt>gān</rt></ruby><ruby>裂<rt>liè</rt></ruby><ruby>胆<rt>dǎn</rt></ruby><ruby>地<rt>de</rt></ruby><ruby>喊<rt>hǎn</rt></ruby><ruby>着<rt>zhe</rt></ruby>："<ruby>我<rt>wǒ</rt></ruby><ruby>是<rt>shì</rt></ruby><ruby>崔<rt>cuī</rt></ruby><ruby>护<rt>hù</rt></ruby><ruby>呀<rt>ya</rt></ruby>，<ruby>我<rt>wǒ</rt></ruby><ruby>害<rt>hài</rt></ruby><ruby>了<rt>le</rt></ruby><ruby>你<rt>nǐ</rt></ruby><ruby>啊<rt>a</rt></ruby>……"<ruby>崔<rt>cuī</rt></ruby><ruby>护<rt>hù</rt></ruby><ruby>这<rt>zhè</rt></ruby><ruby>一<rt>yí</rt></ruby><ruby>叫<rt>jiào</rt></ruby><ruby>喊<rt>hǎn</rt></ruby>，<ruby>竟<rt>jìng</rt></ruby><ruby>把<rt>bǎ</rt></ruby><ruby>小<rt>xiǎo</rt></ruby><ruby>姐<rt>jiě</rt></ruby><ruby>喊<rt>hǎn</rt></ruby><ruby>活<rt>huó</rt></ruby><ruby>了<rt>le</rt></ruby>，<ruby>原<rt>yuán</rt></ruby><ruby>来<rt>lái</rt></ruby><ruby>她<rt>tā</rt></ruby><ruby>只<rt>zhǐ</rt></ruby><ruby>是<rt>shì</rt></ruby><ruby>昏<rt>hūn</rt></ruby><ruby>厥<rt>jué</rt></ruby>，<ruby>并<rt>bìng</rt></ruby><ruby>未<rt>wèi</rt></ruby><ruby>死<rt>sǐ</rt></ruby><ruby>去<rt>qù</rt></ruby>。<ruby>后<rt>hòu</rt></ruby><ruby>来<rt>lái</rt></ruby>，<ruby>崔<rt>cuī</rt></ruby><ruby>护<rt>hù</rt></ruby><ruby>与<rt>yǔ</rt></ruby><ruby>小<rt>xiǎo</rt></ruby><ruby>姐<rt>jiě</rt></ruby><ruby>结<rt>jié</rt></ruby><ruby>了<rt>le</rt></ruby><ruby>亲<rt>qīn</rt></ruby>，<ruby>真<rt>zhēn</rt></ruby><ruby>正<rt>zhèng</rt></ruby><ruby>是<rt>shì</rt></ruby>"<ruby>人<rt>rén</rt></ruby><ruby>面<rt>miàn</rt></ruby><ruby>桃<rt>táo</rt></ruby><ruby>花<rt>huā</rt></ruby><ruby>相<rt>xiāng</rt></ruby><ruby>映<rt>yìng</rt></ruby><ruby>红<rt>hóng</rt></ruby>"<ruby>了<rt>le</rt></ruby>。

**成长指南**

"人面桃花"原指女子的面容与桃花相辉映，后来人们用"人面桃花"来形容女子的美貌，或用来表达爱恋的情思。

# 退避三舍

····· tuibisanshe

春秋时，晋献公因为宠爱骊姬，便立骊姬所生的儿子奚齐为世子，公子重耳和夷吾被迫流亡国外。晋献公去世以后，奚齐和卓子先后继位，但都被大臣里克所杀。

后来，夷吾自梁国回去即位，史称晋惠公。晋惠公怕重耳回国来夺他的宝座，便派人去行刺重耳。

在这种险恶的形势下，重耳只得到处逃窜。他逃到楚国时，楚成王很赏识他，不但以礼接待，而且对他的随

90

04096

从如赵衰、介子推等也十分优待和尊重。

有一天，楚成王准备了丰盛的酒菜，来款待这位落难的晋公子。酒酣耳热之时，成王突然笑着问："今天我以如此隆重的礼节接待你，将来你要是回国，做了晋国国君，打算怎样报答我呢？"

"男女奴隶、宝玉和丝绸您多的是；至于装饰用的羽毛、兽齿和皮革等，又是贵国的名产，我实在不知道应该怎样报答你才好！"重耳很为难地说。

成王听了重耳的回答，觉得很不满意，

说：“话虽然这样说，但我想，你将来如做了晋国国君，总可以报答我了吧！”重耳突然灵机一动，说：“假如托您的福真能回到晋国，将来万不得已和你在战场上见面，那我就退避三舍，来报答你对我的恩情。”

后来，重耳果然真的回到了晋国，并做了国君（即晋文公），而且为了援助宋国，他不得不和楚国交战。当两军接近时，他为了实现当初对楚成王的承诺，便下令全军后退了90里。

成长指南

　　"退避三舍"比喻退让和回避，避免冲突。小朋友们，在这个故事中，重耳得到了楚国的帮助，后来信守承诺，退避三舍，我们也要做诚信的孩子！

# 闻鸡起舞

wénjīqǐwǔ

西晋时期，封建朝廷十分昏庸，国力衰微，百姓贫弱，北方的民族统治者趁机骚扰，老百姓生活非常痛苦。当时，有一个名叫祖逖的青年，他与好友刘琨住在一起。一天夜里，祖逖翻来覆去总是睡不着。

他始终在思考，怎样才能练出本领，保卫和治理国家。人静夜深，他忽然听到鸡叫的声音，受到启发。他决心今后奋发图强，抓紧时间，练一道过硬的本领，报效国家。

93

yú shì tā tuī xǐng liú kūn èr rén
于是，他推醒刘琨，二人

qǐ chuáng dào yuàn zi li qù liàn xí wǔ yì
起床到院子里去练习武艺。

zǔ tì shǒu chí cháng jiàn liú
祖逖手持长剑，刘

kūn wǔ dòng dà dāo zài jiǎo jié de
琨舞动大刀，在皎洁的

yuè guāng xià dāo guāng jiàn yǐng
月光下，刀光剑影，

liǎng gè rè xuè qīng nián rèn zhēn
两个热血青年认真

de cāo liàn qǐ lái
地操练起来。

cóng cǐ yǐ hòu wú lùn lǐn liè de yán dōng hái shi yán rè de
从此以后，无论凛冽的严冬，还是炎热的

kù shǔ yě wú lùn shì guā fēng hái shi xià yǔ yì tīng dào jī jiào
酷暑，也无论是刮风，还是下雨，一听到鸡叫，

tā men jiù lì kè qǐ shēn liàn wǔ tā liǎ qín xué kǔ liàn wǔ yì
他们就立刻起身练武。他俩勤学苦练，武艺

dōu hěn gāo qiáng hòu lái zǔ tì dāngshàng le fèn wēi jiāng jūn shuài
都很高强。后来，祖逖当上了奋威将军，率

lǐng bù duì rì yè cāo liàn dǎ le bù shǎoshèngzhàng
领部队，日夜操练。打了不少胜仗。

**成长指南**

"闻鸡起舞"指听到鸡叫就起来舞剑，比喻有志报
国的人及时奋起。小朋友们，我们要向祖逖和刘琨学
习，勤奋努力，学好知识报效祖国！

# 千里送鹅毛

qianlisongemao

"千里送鹅毛"这句成语经常出现在宋朝文人墨客的诗句中，如欧阳修的"鹅毛赠千里，所重以其人"。

据南宋人罗泌搜罗旧史传说所作的《路史》记载，"千里送鹅毛"的故事是这样的：

周武王伐纣，灭掉殷商，建立周朝，实行分封制，把全国土地分给他的宗室及对周朝建立有过功勋的大臣，被分封的人叫诸侯，诸侯每年按季节向

周天子送礼，名之为朝贡。这种礼仪一直延续到后来。

唐朝时期，每逢换季或有重大喜庆活动如夏季的伏天，冬季的腊月，或皇帝生了儿子，地方官依照惯例，都要给皇帝送礼。至于礼物的轻重、多少则取决于地方的贫富，并不强求一律，但不送不行。

这一年，南方某州的太守委派一个叫缅伯高的官员，带上数只活天鹅作为贡品送给大唐天子。唐朝的首都长安（今陕西西安市）离南方很远，缅伯高一路十分辛苦。他走到沔阳湖时，觉得很累，顺便给马匹饮水,稍事休息。缅伯高跳下马,见湖水清幽,波光粼粼,精神为之一振;回头看看鹅笼,却见天鹅的洁白羽毛被一路风尘染成了灰色,显得十分难看。他觉得这样送给皇帝会显得不敬,决定把天鹅洗干净了,再送到京城。

天鹅见到水,精神陡长,在水中嬉戏玩耍一会,忽地一声,飞上蓝天,化为点点白云,只留几根羽毛在碧波中漂来荡去。

缅伯高急得心中冒火,抬头望天,低头看水,情急生智,捞起一根羽毛,继续上路。

到了长安,唐天子择个吉日,接见各路使节。

97

各地送来的礼品摆得琳琅满目，颇俱地方特色，唯有缅伯高将一根鹅毛高高举过头顶。满朝文武和地方使节见了这种举动，为之一愣。缅伯高却不慌不忙，吟诗一首，道：

礼品贡唐朝，水远路迢迢。

群鹅朝天去，只留一羽毛。

上复唐天子，宽恕缅伯高。

皇帝听了缅伯高的诗，觉得很吉利。一时高兴，赏给他好多东西，作为犒劳。

**成长指南**

"千里送鹅毛"比喻礼物虽然微薄，却含有深厚的情谊。小朋友们，送礼物不在于礼物本身贵不贵重，而在于自己的一片心意！

# 黔驴技穷

qiánlǘjìqióng

cóng qián guì zhōu yí dài méi yǒu lǘ zi yǒu gè hào qí de rén
从前，贵州一带没有驴子，有个好奇的人

jiù yòng chuán yùn lái le yì tóu máo lǘ yīn wèi bù zhī tā pài de
就用船运来了一头毛驴。因为不知它派得

shàng shén me yòng chǎng biàn bǎ tā fàng mù zài shān jiǎo xià
上什么用场，便把它放牧在山脚下。

shān li de lǎo hǔ fā xiàn le zhè tóu máo lǘ jué de tā kàn
山里的老虎发现了这头毛驴，觉得它看

shàng qù hěn gāo dà bù gǎn kào jìn zhǐ shì yuǎn yuǎn de duǒ zài shù
上去很高大，不敢靠近，只是远远地躲在树

lín li guān chá tā de dòng jing guò bù jiǔ lǎo hǔ zǒu chū shù
林里，观察它的动静。过不久，老虎走出树

lín kào jìn máo lǘ réng rán bù zhī dào tā jiū jìng shì shén me dōng xi
林，靠近毛驴，仍然不知道它究竟是什么东西。

yì tiān máo lǘ tū rán dà jiào yì shēng bǎ lǎo hǔ xià le yí
一天，毛驴突然大叫一声，把老虎吓了一

dà tiào yǐ wéi tā yào lái chī
大跳，以为它要来吃

zì jǐ le jí máng táo de
自己了，急忙逃得

远远的。过了几天，老虎又靠近毛驴，发现它并没有什么特别的本领，对它的叫声也听惯了。后来，老虎靠毛驴更近了，甚至碰撞毛驴的身子，故意冒犯它。毛驴终于被惹得发怒，用蹄子去踢老虎。这一来，老虎估计驴的技能就这么一点儿，没有什么可怕的，便猛扑上去，咬断了毛驴的喉管，美美地吃个饱，才高高兴兴地离去。

**成长指南**

"黔驴技穷"比喻有限的一点本领也已经用完了。

小朋友们，世界上有很多东西貌似强大，其实没什么可怕的，我们不要被外表吓到，要相信自己的力量！

# 好逸恶劳
#### haoyiwulao

"好逸恶劳"这句成语出于《后汉书·方术列传·郭玉传》。郭玉从小就愿意扶危救困,心地特别善良,尤其不忍心看到病人被疾病折磨得十分痛苦的表情。于是他立志做一名良医。

郭玉首先读熟了黄帝的《内经》,掌握了淳于意的把脉方法。他背起药囊,走乡串户为病人解除痛苦。行医期间,他遇到不少疑难杂症,既无法找到病因,又不敢判断病情,当然不能对症下药,为此他深感烦燥,痛恨自己的医术拙劣。后来,他听说程高医术高明,凡是经过他的医治的病人无不药到病除。他不远千里拜程高为师。

程高择徒标准很高,他注重人的理解能力,尤其把人的品德修养看得十分重要。

程高问郭玉:"世上谋生的路径不少,你为什么非当医生不可呢?在我看来你凭现在的技术完全能维持富裕的生活,何苦还要苦苦钻研呢?"

郭玉恭敬地回答说:"弟子学医不为个人衣食,只是为了治病救人。"

程高非常满意郭玉的回答,收下郭玉为徒,并尽心尽力地指导。

三年以后，程高对郭玉说："我的医术你已经

全部掌握了，你可以为

天下患者解除

病痛了。"

郭玉出

师以后，医术

突飞猛进，治

愈了许许多

多的病人，名

声大振，被汉和帝任命为太医。郭玉虽然做

了官，仍不忘记贫苦的百姓，经常给他们治

病，而且每次都是妙手回春，挽救了很多垂危

病人，使他们恢复健康。但是在他为高官显

贵及其家属治病时却往往发挥不出应有的水

平，有时久治不愈。为此皇帝深感奇怪。

一次皇妃得了病，治了几次不见效果。

huáng dì ràng huáng fēi huàn shàng bǎi
皇帝让皇妃换上百

xìng de zhuāng shù zhǎo guō yù qiú
姓的装束，找郭玉求

yī guō yù hěn kuài wèi tā zhì
医。郭玉很快为她治

hǎo le huáng dì wèn guō yù
好了。皇帝问郭玉，

zhè dào dǐ shì zěn me huí shì
这到底是怎么回事。

guō yù shuō gěi huáng fēi kàn bìng
郭玉说："给皇妃看病

shí xīn lǐ fù dān hěn zhòng yòu bù gǎn tái tóu
时心理负担很重，又不敢抬头

chá kàn qì sè hěn nán zhǔn què zhěn duàn lìng wài guì rén men tǐ zhì
察看气色，很难准确诊断。另外，贵人们体质

tài ruò bù néng suí yì tóu yào gèng zhòng yào de shì tā men tài xǐ
太弱，不能随意投药，更重要的是他们太喜

huan ān shì tǎo yàn láo dòng hào yì wù láo zhè dōu wèi zhì liáo zēng
欢安适，讨厌劳动(好逸恶劳)，这都为治疗增

jiā le kùn nan zì rán nán yǐ hěn kuài jiàn xiào
加了困难，自然难以很快见效。"

huáng dì zhè cái míng bai le wèn tí de zhèng jié
皇帝这才明白了问题的症结。

**成长指南**

"好逸恶劳"指贪图安逸，厌恶劳动。小朋友们，
我们不要做那样的人，要积极参加劳动，参加体育锻
炼，这样体质才会好，才不会生病！

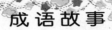

# 盛气凌人
**· · · · shengqilingren**

zhàn guó shí dài　zhào guó gāng yóu zhào tài hòu zhí zhèng　qín guó jiù
战国时代，赵国刚由赵太后执政，秦国就

gōng dǎ zhào guó
攻打赵国。

zhào guó xiàng qí guó qiú yuán　qí guó tí chū yào zhào tài hòu de
赵国向齐国求援，齐国提出要赵太后的

ér zi cháng ān jūn qù zuò rén zhì　cái kěn chū bīng
儿子长安君去做人质，才肯出兵。

tài hòu bù kěn　rèn píng dà chén men rú hé
太后不肯。任凭大臣们如何

quàn jiàn　tài hòu shǐ zhōng bù dā ying
劝谏，太后始终不答应。

zuì hòu tā duì zuǒ yòu de rén shuō
最后她对左右的人说：

jīn hòu ruò zài yǒu rén lái quàn wǒ
"今后若再有人来劝我，

wǒ dìng yào tù tā yì liǎn kǒu shuǐ
我定要吐他一脸口水。"

zhào guó de lǎo chén chù
赵国的老臣触

lóng lái jiàn tài hòu　tài hòu
龙来见太后。太后

xiǎng zhè yí dìng yòu shì gè lái
想这一定又是个来

劝我的家伙，心中厌恶，脸上露出怒气，表现出一副不可一世的样子，等着他来以发泄心中的怨恨。

但触龙进来后，先是表示因年老体衰，未能多来看望太后而深感歉意，而后又拉起了家常，使太后以为他是来看望她的，情绪也缓和了下来。

触龙见此情景，便向太后说了一件心事。

他请求太后把自己十五岁的小儿子舒棋安排在王宫卫队，因为他喜欢他，怎奈自己老了，此事就托请太后照顾。

赵太后见这位老臣为小儿子的事如此恳切，便问道："你们男人家也喜欢自己的小儿子吗？"

"比女人更喜欢。"触龙回答。

"女人们对小儿子才更喜欢呢！"赵太后不禁笑出声来。

"我觉得你更喜欢女儿，你对长安君的喜欢，比不上你对你女儿燕后的喜欢。"触龙趁机说道。"不，你弄错了，我更喜欢我小儿子长安君。"太后坦然地说。

触龙觉得时机已经成熟，便转入正题，对赵太后说："你喜欢女儿，所以她出嫁到了燕国，你祈祷上天，希望她不要回来，指望她生个儿子继承王位，你这是为她的长远利益

考虑。但对长安君，尽管你赐给他许多金银，但你却不让他去替国家建立功劳，将来怎么会有做君王的威望呢？你没有替长安君做长远打算，所以说，你喜欢长安君，比不上喜欢燕后。"

赵太后听了这番话，自知理亏，便同意了大臣们的意见，让长安君去齐国做人质了。

**成长指南**

"盛气凌人"指以骄横的气势压人。形容傲慢自大。小朋友们，虽然赵太后盛气凌人，但触龙掌握谈话技巧，说服了她，可见谈话也是需要技巧的！

108

# 不入虎穴，焉得虎子

buruhuxueyandehuzi

hàn míng dì shí wǔ jiàng bān chāo fèng mìng chū shǐ xī yù gè
汉明帝时，武将班超，奉命出使西域各

guó tā dào dá shàn shàn zài jīn xīn jiāng shàn shàn xiàn de shí hou
国。他到达鄯善（在今新疆鄯善县）的时候，

shàn shàn wáng qǐ chū duì tā hěn gōng jìng zuò wéi shàng guó de guì bīn zhāo
鄯善王起初对他很恭敬，作为上国的贵宾招

dài bǐ cǐ shí fēn yǒu hǎo guò le jǐ tiān xiōng nú yě pài shǐ zhě
待，彼此十分友好。过了几天，匈奴也派使者

lái tóng shàn shàn lián luò yóu yú xiōng nú shǐ zhě de cóng zhōng tiǎo bō
来同鄯善联络，由于匈奴使者的从中挑拨，

shàn shàn wáng duì bān chāo de tài du jiàn jiàn lěng dàn qǐ lái bìng
鄯善王对班超的态度渐渐冷淡起来，并

qiě chǎn shēng le dí yì
且产生了敌意。

bān chāo fā jué
班超发觉

yǐ hòu lì jí zhào lái
以后，立即召来

tóng xíng rén yuán shuō míng
同行人员，说明

qíng kuàng yán jiū duì cè
情况研究对策，

zuì hòu jué dìng xiān xià
最后决定先下

109

手为强，杀死匈奴使者，降服鄯善王。当时，虽然面临险境，同行人员只有三十六人，但是班超毫不畏惧，他说："不入虎穴，不得虎子！眼前，我们只有迅速地主动去找敌人拼命，才能获得胜利。"

到了夜里，他率领三十六人，奔向匈奴使者的营地，进行袭击。班超先派十人，拿着鼓藏在匈奴营后，其余的人，各执弓箭刀枪，埋伏在营前两侧，然后乘风放一把大火，击鼓呐喊，一同杀出。匈奴没有防备，从睡梦中惊醒，不知道汉军有多少人马，吓得没命乱逃，当场，包括匈奴使者在内被杀了三十多人，还有大约一百多人，全部烧死。

第二天，班超把鄯

善王请来，把匈奴使

者的首级给他看，并

且好言相劝，安慰了

他一番。鄯善王这

才心悦诚服，愿意同

汉朝进一步发展友好关系。

　　由于班超的努力，后来，西域五十多国，

都同汉朝建立了友好关系。他从四十岁出使

西域，到七十一岁才回到洛阳，对于保卫汉朝

的边疆，开展汉朝和西域各兄弟民族文化的

交流，做出了重大的贡献。

**成长指南**

　　"不入虎穴，焉得虎子"比喻不亲历险境就不能获
得成功，小朋友们，成功来之不易，要经历许多艰难困
苦，我们要有足够的勇气！

# 罄竹难书
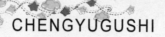

qingzhunanshu

隋朝末年，隋炀帝杨广残暴统治，荒淫奢侈，大兴土木；又连年对外用兵，使百姓无法活下去，迫使他们揭竿而起，从而到处掀起农民起义。

在众多的农民起义军中，有一支是翟让领导的义军。它以瓦岗寨(今河南滑县南)为根据地，称为瓦岗军。起义军中有许多是渔猎手，勇敢善战。翟让骁勇而有胆略，队伍很快发展到万余人。

早在隋炀帝大业九年(公元613年),赵国公杨玄感就趁起义纷起的时候,起兵反隋,但不久即败死。他的手下李密,在失败后被捕,但在押送隋都途中逃脱。大业十二年,他投奔瓦岗起义军,游说翟让联合附近各起义军,取得对隋军的作战胜利,从而取得了翟让的信任。次年,李密取得全军领导权,称魏公。

李密取得大权后,为进一步联合各路起义军,以及吸引隋朝的文武官员来投奔他,便在进攻隋都洛阳的时候,发布了一篇讨伐炀帝的檄文(一种用以晓喻、征召、声讨等的文书),号召各方人士推翻隋朝的统治。檄文在历数炀帝残暴统

治、祸国殃民的十大罪状之后写道：

"用尽南山所有的竹子制成竹简，也写不完杨广的罪过；决出东海的水，也冲洗不清他的罪恶。"

翟让后被李密所杀，这对瓦岗军起了严重的破坏作用。大业十四年，炀帝在江都（今江苏扬州）被禁军将领宇文化及等缢杀。同年，李密入关降唐，但不久因反唐而被杀。

## 成长指南

"罄竹难书"指把竹子用完了都写不完，比喻罪恶很多，难以说完。小朋友们，残暴的统治最终会使得百姓们奋起反抗的！

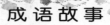

# 四面楚歌

simianchuge

秦朝灭亡后，刘邦与项羽争夺天下，刀兵相见5年，僵持不下。后来，双方约定以鸿沟为界协议停战。没想到刘邦耍了心眼，当项羽履约领兵撤退时，他竟号令汉军大肆追击，一举将项羽在垓下即现在安徽灵壁东南团团围住。

这时，项羽的人马已经不多，粮食也渐渐吃完，他带领士兵几次突围都没冲出去，形势越来越险恶。一天夜里，

项羽正在帐中焦躁地思谋着对策，忽听从四面八方传来阵阵歌声，而且声音越来越高。

他侧耳细听，唱的都是楚国民歌。

项羽大吃一惊："汉军怕是已经把楚国的地盘全占领了，不然汉军中哪来的这么多楚人呢！"

实际上，这是刘邦施用的计谋，他让汉军中会唱楚歌的士兵都到阵地前唱歌，既可迷惑楚军，又能引起楚军士兵的思乡之情。

果然，在四面楚歌声中，楚营很多人想念起了家乡，父母、妻儿、邻里、亲朋，全勾起来了，不禁失声痛哭。随后，一些人趁着黑夜溜出了军营，偷偷跑回了家乡。

项羽这夜心乱如麻。他知道军心一溃，便再难收拾，

于是独自坐在帐中饮酒。想到自己叱咤风

云的戎马生涯，项羽怎么也不肯低头认输：

"我得拼死突破重围，重整旗鼓，来日报仇雪

恨！"他让人把自己最宠爱的美人虞姬叫到

身边，又叫人牵来他心爱的乌骓马，慷慨放

声悲歌："力拔山兮气盖

世，时不利兮骓不逝。

骓不逝兮可奈何，虞兮

虞兮奈若何！"歌

的意思是：力气

大得能够拔起一

座山，气魄压倒

了天下好汉。时运

不利乌骓马不走，可叹哪可叹！乌

骓马不走由它去，虞姬啊虞姬，你可怎么办？

虞姬和着项羽的节拍，一边舞剑一边唱歌。

suí hòu chènxiàng yǔ
随后，趁项羽

bú zhù yì bá jiàn mǒ le
不注意，拔剑抹了

zì jǐ de bó zi dǎo zài
自己的脖子，倒在

xuè pō zhōng sǐ qù zhōu
血泊中死去。周

wéi de jiàng shì men qì bù
围的将士们泣不

chéngshēng yǎn lèi bǎ yī jīn dōu dǎ shī le
成声，眼泪把衣襟都打湿了。

tū wéi de shí kè dào le xiàng yǔ fān shēnshàng mǎ dài zhe
突围的时刻到了。项羽翻身上马，带着

duō rén zuǒ tū yòu chōng sǐ mìngxiàng nán táo dào tái wān shěng lái
800多人左突右冲，死命向南逃到台湾省。来

dào wū jiāng biānshang xiàng yǔ shēn biān jǐn shèng yú rén le zhè
到乌江边上，项羽身边仅剩20余人了。这

shí qián yǒu wū jiāng zǔ dǎng hòu yǒu liú bāng zhuī bīng xiàng yǔ zài yí
时，前有乌江阻挡，后有刘邦追兵，项羽再一

cì xiàn rù sì miàn chǔ gē zhōng tā yǎng tiān cháng tàn yì shēng rán
次陷入"四面楚歌"中，他仰天长叹一声，然

hòu bá jiàn zì shā le
后拔剑自杀了。

**成长指南**

"四面楚歌"比喻陷入四面受敌、孤立无援的境地。小朋友们，当我们面对"四面楚歌"的局面时，要坚强勇敢，冷静面对，这样才会找到机会突出重围！

# 功亏一篑

..... gongkuiyikui

公元前十一世纪，周武王灭掉商朝，建都镐京（今西安西南丰水东岸），国号为周。

当时的人们对新生政权的建立感到由衷的高兴，无不欢欣鼓舞，拍手称快。

各个诸侯国纷纷从四面八方携带贵重礼品及土特产赶来朝贺。西戎虽然离镐京很远，也派来专使，并带来一条身长四尺，大尾长毛的名犬作为贡品。周武王觉得这条狗很稀奇，高高

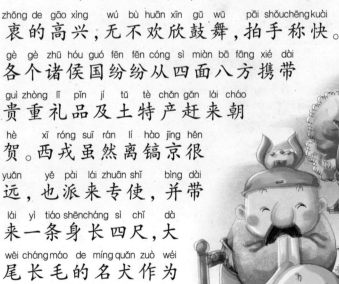

兴兴地收下了。

在朝中担任太保的召公经历过创业的艰难，更知道守业的不易，担心武王从此骄傲自满，沉醉于豪华生活，就从旁提醒说："现在天下初定，四海臣服，远远近近，大大小小的国家或者送来奇珍异宝，或者带来土特产品，这当然是您的圣德。以臣的愚见，玩赏之物是不能用贵贱来区分的，重要的是人的品德。德高，物才显得珍贵；无德，物也变得低贱。一个开明的君主绝不能沉湎于享乐之中。"

武王说："我不过收下一条狗，你认为这件事有那么严重吗？"

召公说："我是有点担心，俗话说'玩人丧德，玩物丧志'，把人当做玩物加以戏弄，有损于德行，将罕见的物件视为珍宝赏玩不休，会消磨志气。不是本地出产的犬马之类的畜生，不必饲养；对人们衣食住行毫无补益的奇禽怪兽，不该收留。"

武王说："那些鸟兽之类的东西，我可不要，而那些贡品，难道也要退回去吗？"

召公说："贡品自然可以收下，不过最好是分赠给同姓的诸侯，表示君主的诚信。对国君来说，最值得珍重的是人才；国家没有贤人治理，早晚要灭亡。有作为的君主应该是群臣

的表率，每时每刻都要留心自己的一言一行，看它是否与德行有违，尤其不可忽视细小的行为。

大德是由小德积累而成，这如同筑起百尺高的土山，土要一筐一筐地堆上去，哪怕仅仅差一筐土，也还是没达到百尺的高度(为山九仞，功亏一篑)，岂不太可惜了吗！你是开国的圣明君主，不能犯功亏一篑的错误，否则追悔不及呀。"

武王接受召公的意见，成为贤明的君主。

**成长指南**

"功亏一篑"比喻做事情只差最后一点没能完成。小朋友们，召公说得对，平常我们应该严以律己，不要玩物丧志，也不要犯功亏一篑的错误！

# 负荆请罪

fujingqingzui

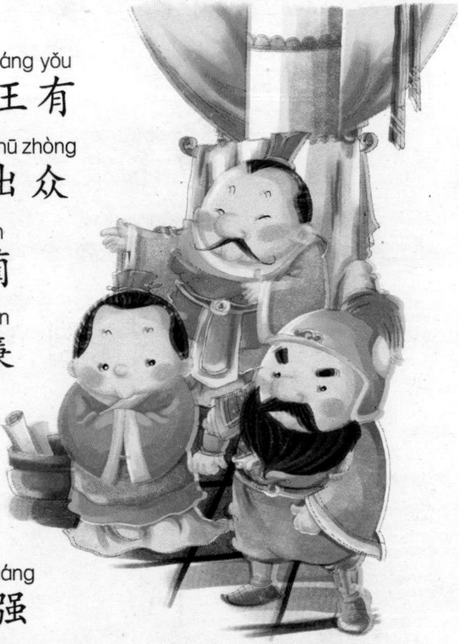

zhàn guó shí zhào huì wén wáng yǒu
战国时，赵惠文王有
liǎng gè zhōngyǒng ài guó cái néng chū zhòng
两个忠勇爱国、才能出众
de xián chén yí gè shì guó xiàng lìn
的贤臣：一个是国相蔺
xiàng rú yí gè shì dà jiàng lián
相如，一个是大将廉
pō zhè yì wén yì wǔ
颇。这一文一武、
yí jiàng yí xiàng zhēn shì míng
一将一相，真是名
wén gè guó wēi zhèn sì fāng lián qiáng
闻各国，威震四方，连强
dà de qín guó yě yīn cǐ bù dé bú duì zhào guó yǒu suǒ gù jì
大的秦国也因此不得不对赵国有所顾忌。

nà lìn xiàng rú yuán shì zhàowáng yí gè nèi shì zhǎng miù xián de
那蔺相如，原是赵王一个内侍长缪贤的
jiā chén yǒu yí cì qín guó xiǎngzhàng shì piàn qǔ zhào guó de guó bǎo
家臣。有一次，秦国想仗势骗取赵国的国宝
hé shì bì
“和氏璧”。

zhàowáng hé dà chén men kǔ yú wú fǎ yìng fù jīng miù xián de
赵王和大臣们苦于无法应付。经缪贤的

推荐，蔺相如去秦国出色地完成了这件外交工作，后来，秦王、赵王在渑池相会时，秦王企图当众羞辱赵王，不料反被蔺相如奚落了一场。由于蔺相如连立大功，赵王拜他为相，位居上卿，比廉颇的官衔还要高一点。

廉颇心里不服，对人说："我这个大将，在战场上出生入死，不像人家光凭一张嘴！一个家臣，居然爬到我的上头了，他要遇见我，非给他个难堪不可！"

蔺相如听到这话，就经常留心，避开廉颇，不跟他见面，别人以为蔺相如害怕廉颇，廉颇也很得意。可是蔺相如说："秦王那样的威势，都吓不了我，我哪里会怕廉将军？不过，今天的秦国倒是有点怕我们赵国，它所怕的，就是我跟廉将军的团结一致。我是以国事为重，把私人的恩怨和面子问题一概丢开！"

这话传到了廉颇的耳朵里，廉颇非常感动，也非常惭愧，就袒露着背，背着荆条，亲自到蔺相如家去谢罪，请蔺相如用荆条狠狠鞭打他，说："我真

是糊涂，差点儿误了国家大事啊！"

当然，蔺相如并没有鞭打他，也没有责备他，两人从此誓同生死，成为至交。

---

**成长指南**

"负荆请罪"形容主动向人认错道歉，自请严厉责罚。小朋友们，蔺相如心胸宽广，廉颇知错就改，我们应该向他们学习！

# 无可奈何
····· wukenaihe

汉武帝时，由于统治阶级对内以严酷的手段进行治理，对外又不断地进行扩张，对百姓强征暴敛，使百姓怨声载道，苦不堪言，尤其是广大农民，到了忍无可忍的地步，他们纷纷举行起义，起义队伍大的数千人，小的几百人，自立旗号，攻打城池，夺取武库，释放死囚，杀官员，在乡里抢劫富豪，救济贫民，响应者不计其数。起义震惊了当时的皇帝和朝中大臣，他们都很害怕，急忙调兵遣将，派重兵前去武力镇压。然而，起义的队伍却越战越勇，有不可阻挡之势。

大臣们恐慌了，只得调集了更多的军队，执行残酷的杀戮政策，一下子杀了一万多人，还杀了给起义军运送粮食的几千人。这样，几年后才捕获了一些起义军首领，但是，那些被打散的起义者和没被杀死的人，他们又重新聚集起来，占领山岭和水乡，使水陆交通阻塞，他们往往成帮结伙地袭击官军，闹得声势很大，统治者心中既恨又怕，但又对起义军毫无办法。

于是朝廷又制定了《沈命法》规定：对于成伙的盗贼没有发觉的，或者已经发觉应捕获而没有责任者，一律处死。

打这以后，小官

127

lì pà shā tóu, suī yǒu nóng
吏怕杀头，虽有农

mín qǐ yì zhě yě bù gǎn
民起义者也不敢

jiē fā, pà jiē fā le
揭发，怕揭发了

zhuā bú zhù rén, zì jǐ
抓不住人，自己

chù fǎ bìng qiān lián jùn tài shǒu, ér jùn tài shǒu
触法并牵连郡太守，而郡太守

yě bú yuàn yì tā men jiē fā, suǒ yǐ, nóng mín qǐ yì jūn duì wu yuè
也不愿意他们揭发，所以，农民起义军队伍越

lái yuè zhuàng dà
来越壮大。

wú kě nài hé zhè jù chéng yǔ, zài zhè ge gù shi zhōng shì
"无可奈何"这句成语，在这个故事中是

yòng lái xíng róng: tǒng zhì zhě duì nóng mín qǐ yì hèn zhī rù gǔ, qiān fāng
用来形容：统治者对农民起义恨之入骨，千方

bǎi jì xiǎng xiāo miè tā men, dàn qǐ yì jūn què yuè zhàn yuè yǒng, shēng
百计想消灭他们，但起义军却越战越勇，声

shì yuè lái yuè dà, tǒng zhì zhě duì cǐ, zhǐ néng huái hèn zài xīn zhōng
势越来越大，统治者对此，只能怀恨在心中，

què háo wú bàn fǎ
却毫无办法。

**成长指南**

"无可奈何"指心中不乐意，但却毫无办法。小朋友们，残暴的统治必然会激起群众的反抗，朝廷没有人才和好的法令，是无法把起义镇压下去的！

# 破镜重圆

pojingchongyuan

南朝陈国最后一个皇帝陈霸先的妹妹乐昌公主,是个才貌双全的女子,她与驸马徐德言之间的感情非常好。

但不久北方的隋朝军队打来了,陈国危在旦夕。徐德言预感到夫妻在一起的时间不长了,于是将一面铜镜一破两半,一半自己留着,一半给公主。他们俩约好:一旦遭到不幸离散了,以后在正月十五元宵节这一天,各人拿着半面破镜到街上卖,以便好寻找

机会见面。

陈国不久被隋灭掉，徐德言和公主果真

被冲散了。

乐昌公主后来被隋文帝大臣杨素占有。

第二年正月十五日，徐德言如前所约拿

着铜镜到街上卖。正巧，他碰上一个仆人也

拿着半面铜镜在叫卖。他上前拿过来看，与

自己的并合，正是原来的铜镜。

徐德言见物思人，不

觉泪下，泪水洗亮了镜子。

他在那半面镜上题

诗一首：镜与人

俱去，镜归人未

归；无复嫦娥

影，空留日月辉。

仆人将题

130

shī de bàn miàn jìng zi dài huí ná gěi lè
诗的半面镜子带回拿给乐

chāng gōng zhǔ kàn gōng zhǔ bēi
昌公主看，公主悲

shāng wàn fēn
伤万分。

yáng sù zhī dào zhè jiàn
杨素知道这件

shì hòu biàn bǎ xú dé yán zhǎo
事后，便把徐德言找

lái qǐng tā yì tóng hē jiǔ
来，请他一同喝酒。

zài jiǔ yàn shang lè chāng
在酒宴上乐昌

gōng zhǔ zuò le yì shǒu shī shī zhōng xiě dào jīn rì hé qiān cì
公主作了一首诗，诗中写道："今日何迁次，

xīn guān duì jiù guān xiào tí jù bù gǎn fāng yàn zuò rén nán
新官对旧官；笑啼俱不敢，方验作人难。"

yáng sù hòu lái ràng tā liǎ chóng xīn tuán yuán tā men fū qī yí
杨素后来让他俩重新团圆。他们夫妻一

kuài huí dào jiāng nán bái tóu xié lǎo
块回到江南，白头偕老。

**成长指南**

"破镜重圆"指夫妻失散或决裂后重新团聚与
和好。小朋友们，徐德言与乐昌公主夫妻情深，让
人感动！

# 凿壁借光

zaobijieguang

kuāng héng shì hàn cháo shí yí gè fēi cháng yǒu xué wen de rén shuō
匡衡是汉朝时一个非常有学问的人。说

qǐ tā kè kǔ dú shū de shì shì fēi cháng lìng rén jìng pèi de
起他刻苦读书的事，是非常令人敬佩的。

kuāng héng de jiā li pín qióng méi qián gōng tā niàn shū shāo dà
匡衡的家里贫穷，没钱供他念书，稍大

xiē jiù bāng zhe dà rén zuò huó zhèng xiē qián wéi chí shēng jì kuāng héng
些就帮着大人做活，挣些钱维持生计。匡衡

shì gè qín fèn hào xué de rén tā zài jǐn zhāng de láo zuò zhōng zhū shì
是个勤奋好学的人，他在紧张的劳作中诸事

liú xīn màn màn de zì jǐ rèn le xǔ duō zì
留心，慢慢地自己认了许多字，

jiàn jiàn néng dú shū le
渐渐能读书了。

kuāng héng shí fēn gāo xìng tā cóng shū
匡衡十分高兴，他从书

zhōng zhī dào le xǔ duō xīn qí de shì qing
中知道了许多新奇的事情，

gǔ dài de wài guó de wén xué de
古代的，外国的，文学的，

lì shǐ de zhēn yǒu yì si
历史的，真有意思

a kuāng héng yuè lái yuè
啊！匡衡越来越

喜欢读书，简直到了拿起来就放不下的地步。

可是，读书毕竟不能使匡衡马上富起来，贫穷的家境给他读书带来重重困难。他没有钱买书，就借书读。

几年的光景，四乡里有书的人家他几乎跑了个遍。白天匡衡得给人家干活，就晚上读书。

可是，这需要许多照

明的蜡烛，他又无钱去买。怎么办呢？匡衡看到邻居家总是点着蜡烛，灯火通明，就去商量"借光"。人家没有同意。

回到自己的家里，匡衡又动脑琢磨起来如何借光。突然，他发现邻居家有一个神龛就供奉在自己家的隔壁，龛前的蜡烛彻夜不熄。

匡衡灵机一动，心想有办法了。他马上找来工具，在墙壁上偷偷地凿了一个小洞，顿时，有一缕烛光透射过来。匡衡把书拿过去一试，上面的字还能看得清楚。

从此，他就利用这"偷"来的一缕烛光，一夜一夜地读书不停。

匡衡读的书越来越多，邻近乡里的书差不多都读过了，他又去本县别的地方找书读。

这天，匡衡发现一个财主家的书挺多，整整堆满一个屋子。

他如获至宝，就去找财主商量给他家干活，不要工钱。

财主觉得奇怪，问匡衡说："你为啥要白

bái gěi wǒ jiā gàn huó ya    kuāng héng yě bù yǐn mán    zhí jié liǎo
白给我家干活呀？"匡衡也不隐瞒，直截了

dàng de huí dá cái zhǔ    wǒ gěi nǐ gàn huó bú yào gōng qián    zhǐ xiǎng
当地回答财主："我给你干活不要工钱，只想

jiè nǐ jiā li de shū kàn    bù
借你家里的书看，不

zhī kěn bu kěn dā ying    tīng
知肯不肯答应？"听

shuō zhǐ jiè shū kàn bú yào gōng qián
说只借书看不要工钱，

zhè yàng de gù gōng
这样的雇工

shàng nǎ er zhǎo qù
上哪儿找去，

cái zhǔ gāo xìng de gù
财主高兴地雇

xià le kuāng héng    dā
下了匡衡，答

ying bǎ jiā li de shū
应把家里的书

dōu jiè gěi tā kàn
都借给他看。

cóng cǐ    kuāng héng yòu yǒu xǔ duō xīn shū dú le
从此，匡衡又有许多新书读了。

---

**成长指南**

　　"凿壁借光"指借邻舍的烛光读书。现在用来形容勤学苦读。小朋友们，匡衡在如此艰苦的条件下还不忘读书，我们也要向他一样刻苦学习成为栋梁之才！

# 自相矛盾
## zixiangmaodun

hěn jiǔ hěn jiǔ yǐ qián chǔ guó yǒu yí gè mài bīng qì de rén
很久很久以前，楚国有一个卖兵器的人，

dào shì chǎngshang qù mài máo hé dùn
到市场上去卖矛和盾。

hǎo duō rén dōu lái kàn tā jiù jǔ
好多人都来看，他就举

qǐ tā de dùn xiàng dà jiā kuā kǒu shuō
起他的盾，向大家夸口说：

wǒ de dùn shì
"我的盾，是

shì jiè shàng zuì zuì jiān gù
世界上最最坚固

de wú lùn zěn yàng fēng
的，无论怎样锋

lì jiān ruì de dōng xi yě
利尖锐的东西也

bù néng cì chuān tā
不能刺穿它！"

wéi guān de rén dōu
围观的人都

còu shàng qù kàn tā de
凑上去看他的

dùn xiǎng yán jiū yí xià tā de dùn jiū jìng shì yòngshén me zuò de jū
盾，想研究一下他的盾究竟是用什么做的，居然什么东西都刺不穿。

接着，这个卖兵器的人又拿起一支矛，大言不惭地夸起来：

"我的矛，是世界上最最尖利的，无论怎样牢固坚实的东西也挡不住它一戳，只要一碰上，嘿嘿，马上就会被它刺穿！"

他一边不住地夸着口，一边还不停地舞动着他的矛，发出"呼呼"的响声，显得十分威武的样子。这一下，果然又吸引来好多好多的行人。

他一见，十分得意，便又大声吆喝起来：

"快来看呀，快来买呀，世界上最最坚

137

gù de dùn hé zuì zuì fēng lì de máo
固的盾和最最锋利的矛！”

zhè shí yí gè kàn kè
这时，一个看客

shàngqián ná qǐ yì zhī máo yòu
上前拿起一支矛，又

ná qǐ yí miàn dùn wèn dào
拿起一面盾问道：

rú guǒ yòng zhè
"如果用这

máo qù chuō zhè dùn huì
矛去戳这盾，会

zěn yàng ne
怎样呢？"

zhè
"这——"

wéi guān de rén xiān
围观的人先

dōu yí lèng tū rán bào fā chū yí zhèn dà xiào biàn dōu sàn le nà
都一愣，突然爆发出一阵大笑，便都散了。那

ge mài bīng qì de rén huī liū liū de káng zhe máo hé dùn zǒu le
个卖兵器的人，灰溜溜地扛着矛和盾走了。

**成长指南**

现在人们用"自相矛盾"这句成语，形容那种说话或办事，前后抵触，自相对立的情况。

# 卧薪尝胆
····· woxinchangdan

chūn qiū shí qī　　wú guó zhàng zhe zì jǐ guó fù bīng qiáng　cháng
春秋时期，吴国仗着自己国富兵强，常

cháng gōng dǎ bié de guó jiā　　yǒu yí cì gōng dǎ yuè guó　jiāng yuè guó
常攻打别的国家，有一次攻打越国，将越国

dǎ bài　yòu bǎ yuè wáng gōu jiàn zhuā dào wú guó
打败，又把越王勾践抓到吴国。

zhuā le yuè guó de guó wáng　wú wáng fū chāi hěn
抓了越国的国王，吴王夫差很

dé yì　　wèi le xiū rǔ yuè wáng　pài tā zuò
得意，为了羞辱越王，派他做

wèi mǎ zhī lèi nú pú zuò de gōng zuò　hái cháng
喂马之类奴仆做的工作，还常

cháng zài bié rén miàn qián qǔ
常在别人面前取

xiào tā
笑他。

yuè wáng suī rán
越王虽然

xīn li bù fú qì
心里不服气，

dàn hái shi zhuāng chū
但还是装出

zhōng xīn de yàng zi
忠心的样子，

139

慢慢的，得到了吴王的信任，将他放回了越国。

越王回国后，决心复仇雪耻，为了时刻提醒自己，他每天睡在坚硬的木柴上，还在门上吊颗苦胆，天天舔一下。

他还经常到民间去观察老百姓的生活，替老百姓解决问题，同时训练军队，让越国变得更加富强。

十年后，越王亲自率军攻打吴国，取得了胜利，吴王羞愧的自杀了。后来，越国成为春秋末期的大强国。

**成长指南**

这个故事告诉我们，遇到了挫折，不要气馁，要振作精神，努力拼搏，总有一天会取得胜利的。

# 暗送秋波
····· ansongqiubo

公元188年汉灵帝病死，少帝即位，朝政由十常侍操纵。大将军何进为了铲除十常侍，愚蠢地下令给凉州刺史董卓，命他进京。

十常侍杀害何进，后被袁绍杀死，董卓率大军进入洛阳，废掉少帝，另立陈留王为帝，自封丞相，总揽朝政，任意妄为，引起百官的强烈不满。司徒王允心急如焚，愁得吃饭、睡觉都不得安稳。

一天夜里，王允拄着手杖在花

园中踱步，想起董卓专权，紊乱朝纲，危及社稷，不禁仰天长叹。忽然发现府中的歌妓貂蝉在牡丹亭畔垂泪叹息。貂蝉自幼被王允收养，视为亲生女儿，生得冰肌玉骨，花容月貌。

王允走到近前，问貂蝉："如此深夜，你独自在这里长吁短叹，莫非有什么私情？"

貂蝉忧伤地说："我见大人近日愁眉不展，想是在忧愁国家大事，妾身不敢动问。我蒙大人收养，粉身碎骨，难报万一，如有用妾之处，赴汤蹈火，在所不辞！"

听了貂蝉的回话，王允顿时计上心来，以杖击地说："想不到除去国贼，安抚社稷的大计就在你的身上。你随我到

huà gé zhōng lái
画阁中来。"

èr rén yì qián yí hòu　jìn rù huà gé　wáng yǔn duì diāo chán
二人一前一后，进入画阁，王允对貂蝉

shuō　　mù qián zéi chén dǒng zhuó nòng quán　bǎi xìng shòu dào xuán zhī kǔ
说："目前贼臣董卓弄权，百姓受倒悬之苦，

guó jiā yǒu lěi luǎn zhī wēi　fēi nǐ bù néng wǎn huí wēi jú　dǒng zhuó
国家有累卵之危，非你不能挽回危局。董卓

xīn huái cuàn nì　bǎi guān wú jì kě shī　dǒng zéi yǒu yí yì zǐ　míng
心怀篡逆，百官无计可施。董贼有一义子，名

jiào lǚ bù　wǒ kàn cǐ èr rén jiē hào sè zhī tú　wǒ jīn yòng lián
叫吕布，我看此二人皆好色之徒，我今用'连

huán jì　xiān jiāng nǐ xǔ pèi lǚ bù　hòu xiàn gěi dǒng zhuó　nǐ cóng zhōng
环计'先将你许配吕布，后献给董卓，你从中

tiāo bō lí jiàn　ràng tā men fù zǐ fǎn mù chéng chóu　shā diào dǒng zhuó
挑拨离间，让他们父子反目成仇，杀掉董卓，

guó jiā cóng cǐ tài píng　bù zhī nǐ kěn yǔ bù kěn
国家从此太平，不知你肯与不肯？"

diāo chán yì rán de shuō　　jì
貂蝉毅然地说："既

shì wèi le guó jiā　shàng ān shè jì
是为了国家，上安社稷，

xià fǔ bǎi xìng　wǒ wàn sǐ bù cí
下抚百姓，我万死不辞，

qǐng dà rén zhào jì xíng shì　diāo
请大人照计行事，貂

chán wéi mìng shì cóng
蝉唯命是从。"

dì èr tiān　wáng yǔn sòng
第二天，王允送

lǚ bù yì dǐng shù fà jīn guān
吕布一顶束发金冠，

143

吕布过府相谢。王允摆下酒席招待吕布，饮酒中间王允唤出貂蝉为吕布斟酒。吕布见貂蝉生得国色天香顿生爱慕之心，频频用目光表达心意，貂蝉也用眼神暗暗传递情感(蝉亦暗送秋波)。二人心领神会。王允先将貂蝉许给吕布，后又将貂蝉献给董卓，吕布果然大怒，与王允定计将董卓除掉，貂蝉回到了吕布身边。

**成长指南**

"暗送秋波"指暗中眉目传情，比喻献媚取宠，暗中勾搭。小朋友们，貂蝉为了国家奉献了自己，最终除掉了董卓！她的精神值得赞赏！

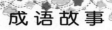

# 名落孙山

mingluosunshan

sòng cháo shí dú shū rén yào zuò guān　bì xū cān jiā kē jǔ kǎo
宋朝时读书人要做官，必须参加科举考

shì　xiāng shì（kē jǔ kǎo shì zhōng dì fāng shang zuì gāo yì jí de kǎo
试。乡试（科举考试中地方上最高一级的考

shì）hé gé de chēng wéi jǔ rén　qǔ dé le jǔ rén de zī gé　jiù
试）合格的称为举人。取得了举人的资格，就

kě yǐ dào jīng dū cān jiā zuì gāo yì jí de kǎo shì——huì shì le
可以到京都参加最高一级的考试——会试了。

yǒu yì nián qiū tiān　shěng chéng li yào jǔ xíng xiāng shì　dāng dì
有一年秋天，省城里要举行乡试，当地

yǒu gè míng jiào sūn shān de dú shū rén　zhǔn
有个名叫孙山的读书人，准

bèi dào shěng chéng qù yìng kǎo
备到省城去应考。

sūn shān néng shuō huì dào
孙山能说会道，

huá jī huī xié　rén chēng
滑稽诙谐，人称

"huá jī cái zǐ"　xiāng
"滑稽才子"，乡

li rén duì tā zhòng jǔ jì
里人对他中举寄

yǔ hòu wàng　lín xíng qián
予厚望。临行前，

乡里一位老人来拜访孙山，请孙山与他的儿子一起去应考，以便他儿子能得到一些照应。孙山爽快地答应了。

两人到省城后，很顺当地参加了考试，接着是等待发榜。发榜那天，孙山怀着紧张的心情，到发榜处去观看。

看榜的人很拥挤，孙山好不容易才挤到前面，一连看了几遍，竟在最后一行中见到了自己的名字，原来自己是以末名中举。至于一起来应考的乡人儿子的名字，则无论如何找不到，他肯定落选了。

孙山回到旅舍，把发榜的情况向乡人儿子说了。对方听说自己榜上无名，闷闷不乐，表示想再在省城待几天。孙山归心似箭，第二天一早就回乡了。孙山回到家里，乡邻们得知他中举，都向他表示祝贺。那老人见儿子未回来，问孙山他是否榜上有名。

孙山没有正面回答，而是诙谐地念了两句诗："解名尽处是孙山，贤郎更在孙山外。"原来，当时中举后再去京城会试的，都由地方解送入试，所以乡试第一名称为解元，榜上的举人名字都称解名。

这两句诗的意思是：举人的最后一名是我孙山，你儿子的大名还在我孙山之后呢，言下之意是他落选了。

**成长指南**

"名落孙山"指考试或选拔没有录取。小朋友们，我们今后如果遇到"名落孙山"这样的情况，不要气馁，要振作起来，迎接下一次挑战！

# 沾沾自喜
····· zhanzhanzixi

魏其侯窦婴，是西汉时汉景帝母亲窦太后的堂侄子。汉文帝时，他曾做过吴王刘濞的国相，后来因病离职。汉景帝即位后，任命他为詹事(宫廷内宫)。

一次，汉景帝的弟弟梁王刘武从封地来京城看望哥哥和母亲。窦太后一向很偏爱这个小儿子，非常高兴。当天，汉景帝设宴招待弟弟，窦婴因为是他们的表兄弟，也应邀参加饮

yàn xí jiān hàn jǐng dì yīn wèi duō hē le diǎn jiǔ biàn xìn kǒu xiào
宴。席间，汉景帝因为多喝了点酒，便信口笑
zhe shuō wǒ sǐ le yǐ hòu bǎ dì wèi chuán gěi liángwáng
着说：“我死了以后，把帝位传给梁王。”

dòu tài hòu tīng le lù chū hěn gāo xìng de yàng zi ér dòu
窦太后听了，露出很高兴的样子。而窦
yīng jǔ zhe jiǔ bēi zǒu dào jǐng dì miàn qián shuō bì xià zhè tiān
婴举着酒杯走到景帝面前，说：“陛下，这天
xià shì gāo zǔ dǎ xià lái de gēn jù guī dìng dì wèi zhǐ néng yóu
下是高祖打下来的。根据规定，帝位只能由
fù qīn chuán gěi ér zi nǐ zěn me néng luàn shuō yào bǎ dì wèi chuán gěi
父亲传给儿子，你怎么能乱说要把帝位传给
liángwáng ne
梁王呢？”

dòu tài hòu tīng le xīn zhōng hěn bù gāo xìng
窦太后听了，心中很不高兴。

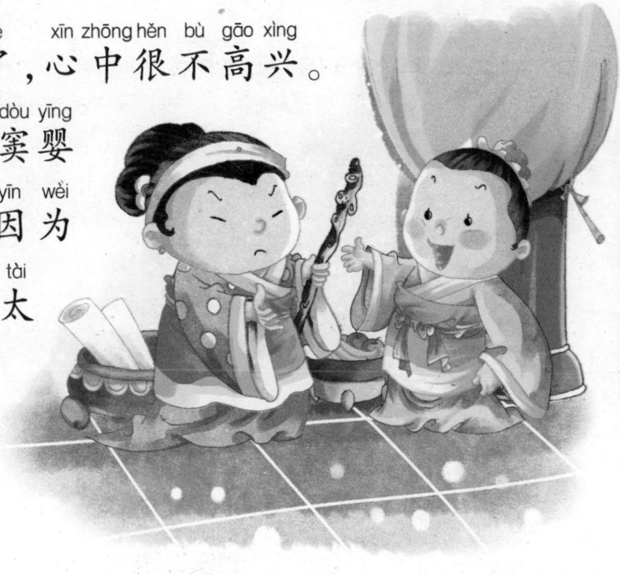

cóng cǐ tā jiù zēng xián dòu yīng
从此，她就憎嫌窦婴
le ér dòu yīng yě yīn wèi
了。而窦婴也因为
xián zhān shì de guān zhí tài
嫌詹事的官职太
xiǎo shuō zì jǐ shēng
小，说自己生
bìng cí qù le guān
病，辞去了官
zhí huí jiā qù le
职，回家去了。

guò le liǎng nián wú wáng liú bì chǔ wáng liú wù děng qǐ bīng pàn
过了两年，吴王刘濞、楚王刘戊等起兵叛
luàn jǐng dì zhào dòu yīng rù cháo yào tā shuài bīng zhēng fá dòu yīng
乱，景帝召窦婴入朝，要他率兵征伐。窦婴

tuī shuō zì jǐ shēn tǐ bù hǎo bù néng shèng rèn jǐng dì hé dòu tài
推说自己身体不好,不能胜任。景帝和窦太

hòu zhī dào dòu yīng tuī cí de yuán yīn xīn zhōng gǎn dào hěn cán kuì
后知道窦婴推辞的原因,心中感到很惭愧。

jǐng dì duì dòu yīng shuō xiàn zài guó jiā chǔ yú wēi jí zhuàng tài nǐ
景帝对窦婴说:"现在国家处于危急状态,你

zěn me kě yǐ tuī cí ne
怎么可以推辞呢?"

yú shì jǐng dì fēng dòu yīng wéi dà jiāng jūn dòu yīng shuài jūn chū
于是,景帝封窦婴为大将军,窦婴率军出

zhēng píng dìng le wú chǔ qī guó zhī luàn jǐng dì yòu fēng dòu yīng wéi
征,平定了吴楚七国之乱,景帝又封窦婴为

wèi qí hóu
魏其侯。

jǐng dì sì nián dòu yīng bèi wěi pài zuò tài zǐ de lǎo shī
景帝四年,窦婴被委派做太子的老师。

bù jiǔ jǐng dì yòu fèi diào tài zǐ dòu yīng jǐ cì
不久,景帝又废掉太子,窦婴几次

xiàng jǐng dì zhèng jiàn jǐng dì dōu bù tīng yú shì
向景帝诤谏,景帝都不听,于是

dòu yīng yòu tuō bìng bú shàng
窦婴又托病不上

cháo hòu tīng cóng liáng rén
朝。后听从梁人

gāo suì fēn xī shuō tā zhè
高遂分析,说他这

yàng zuò huì zhāo lái huò hài
样做会招来祸害,

dòu yīng cái yòu shàng le cháo
窦婴才又上了朝。

bù jiǔ chéng xiàng
不久, 丞相

150

liú shě yīn gù bèi miǎn qù le zhí
刘舍因故被免去了职

wù dòu tài hòu hǎo jǐ
务，窦太后好几

cì yào jǐng dì tí bá
次要景帝提拔

dòu yīng zuò chéngxiàng
窦婴做丞相。

jǐng dì shuō
景帝说：

mǔ hòu wǒ
"母后，我

bú ràng dòu yīng zuò chéng
不让窦婴做丞

xiàng shì yǒu dào lǐ de tā zhè ge rén píng shí zì yǐ wéi liǎo bu
相是有道理的。他这个人，平时自以为了不

qǐ zhānzhān zì xǐ chǔ lǐ shì qing què ná bú dìng zhǔ yi tā shí
起，沾沾自喜，处理事情却拿不定主意，他实

zài shì dān dāng bù qǐ chéngxiàng zhè zhòng rèn de ya
在是担当不起丞相这重任的呀！"

yú shì jǐng dì jiù fēng jiàn líng hóu wèi wǎn wèi chéngxiàng
于是，景帝就封建陵侯卫绾为丞相。

**成长指南**

"沾沾自喜"形容自以为不错而得意的样子。小朋友们，我们要时刻保持谦虚谨慎的态度，即使取得一些成绩也不要沾沾自喜，得意忘形。

# 义无反顾

yiwufangu

司马相如是西汉时期著名的辞赋家。汉武帝时，国家非常强盛，经济繁荣，疆域辽阔，贵族生活日益奢侈。司马相如的《子虚赋》《上林赋》以宏大的气势、华丽的辞藻描写宫廷生活，极尽铺张扬厉之能事，迎合了汉武帝好大喜功的心理，深得汉武帝的赏识，他令司马相如在身边做官。

当时，汉武帝派大臣唐蒙去修治"西南夷道"。

但是唐蒙过多地征集民工修路，还杀了当地的首领，引起了当地人民的暴乱。汉武帝命司马相如写一

篇文告责备唐蒙，并向巴蜀百姓讲明修路的原因。

司马相如写了一篇报告。他在文告中讲明了征集民工和士兵修路的必要性，也说明了惊扰当地人民，杀掉首领、长老并不是皇帝的意思，望当地百姓谅解。但也希望巴蜀人民了解国家法令制度，自行逃亡或互相残杀都是错误的行为。司马相如在文告中进一步指出："那些守护边郡的士兵，一旦得到紧

急军情，都应该马上拿起兵器，披挂上马，流血流汗，惟恐落后。战斗的时候，迎着刀刃和箭镝，勇敢地冲上前去，而不能回头向后转过脚跟逃跑，人人应怀对敌愤恨之心，打起仗来就像报私仇一样……"

司马相如的文章写得非常有说服力，后来修路的工程顺利地完成了。

后来，人们将司马相如的文章中"义不反顾"一语，写成"义无反顾"。

**成长指南**

人们通常用"义无反顾"形容为正当的事业而勇往直前，或者比喻抱定必须完成的信念。

# 井底之蛙
····· jingdizhiwa

yì zhī qīng wā zhù zài fèi jǐng li　tā hěn mǎn zú　gāo xìng shí
一只青蛙住在废井里，它很满足，高兴时

zài jǐng lán biān tiào yuè　pí juàn le　jiù huí dào jǐng zhōng pào zài shuǐ li
在井栏边跳跃，疲倦了就回到井中泡在水里，

yǒu shí yě zài ní jiāng li sàn bù
有时也在泥浆里散步。

yì tiān tā zài jǐng biān wán shuǎ shí　yù dào yì zhī hǎi li lái
一天它在井边玩耍时，遇到一只海里来

de dà guī　qīng wā xiǎng　　hǎi yǒu shén
的大龟，青蛙想："海有什

me liǎo bu qǐ de　yí dìng méi yǒu
么了不起的，一定没有

zài jǐng li zì yóu
在井里自由。"

yú shì qīng wā dé yì
于是青蛙得意

de duì hǎi guī shuō　zhè
地对海龟说："这

jǐng li hěn kuāngguǎng　wǒ
井里很宽广，我

shì jǐng zhōng zhī
是井中之

wáng　zài zhè li
王，在这里

155

zì yóu zì zài, kěn dìng
自由自在，肯定
bǐ nǐ zài hǎi li kuài
比你在海里快
lè。" hǎi guī tīng qīng
乐。"海龟听青
wā nà me shuō, yě xiǎng
蛙那么说，也想
jìn jǐng li qù kàn kan
进井里去看看，
jié guǒ tā gāng shēn chū qián
结果它刚伸出前
tuǐ, jiù bèi bàn zhù le——
腿，就被绊住了——

zhè li tài xiǎo le, tài jū shù le
这里太小了，太拘束了。

tā kàn qīng wā hěn mǎn zú de yàng zi, rěn bu zhù shuō: hǎi
它看青蛙很满足的样子，忍不住说："海
yòu kuān yòu dà, wú biān wú jì, yì diǎn yě bú shòu hàn lào de yǐng
又宽又大，无边无际，一点也不受旱涝的影
xiǎng, zài hǎi li cái shì zhēn de kuài lè! qīng wā lèng zhù le, tā
响，在海里才是真的快乐！"青蛙愣住了，他
yì zhí yǐ wéi zì jǐ zhù zài jǐng li yǐ jīng hěn kuānguǎng le, xiǎng bú
一直以为自己住在井里已经很宽广了，想不
dào hái yǒu hǎi nà bān kuāng guǎng de dì fang, yí xià zi shuō bù chū huà lái
到还有海那般宽广的地方，一下子说不出话来。

 成长指南

这个故事告诉我们，不要做目光短浅的人，更不
能盲目自大。

# 箭在弦上

jianzaixianshang

中国古代典籍中，有一部质量上乘的诗文集，名为《三曹合集》。这部书收罗了曹操、曹丕、曹植，父子三人的全部诗文。就诗的思想性和艺术性而言，无疑，曹丕居第三位，但就文艺思想和文艺批评的系统性而言，曹丕有当冠军的资格。

但曹丕的名声并不好，他倒霉就倒霉在争夺王位继承权上不幸获胜。人类的本性是同情

弱者，憎恨强者，曹丕胜利了，被后人唾骂，又活该又冤枉。曹植并不超脱，他也想当皇帝，并为此费尽心机，他的幸运在于失败，人们由同情而偏爱，所以没人说他的坏话。曹植如果继承王位能否成为好皇帝，也很难说。

在中国的皇帝群中，如果不带偏见的评说，应该承认，曹丕是个上流皇帝。更何况他还是个出色的文艺批评家。

中国文学史上，建安七子的文学地位不容忽视。连鼎鼎大名的诗人李白对这七位文学家都高度赞许，有诗为证："自从建安来，绮丽不足珍。"

曹丕与建安七子是同龄人，

他眼光敏锐，说话也实在，好处说好，短处说短；决不像我们有些批评家，长处说长，短处还说长，一味捧场，令人疑惑不解。

王粲为七子之首，曹丕说他写辞赋很好，但不雄健；陈琳名气不大，曹丕却看到他的长处是写文书告示。

官渡之战前夕，陈琳在袁绍手下当秘书，奉袁绍之命，起草宣传材料，意在号令全国人民反对曹操。材料写得真够水平，以致曹操听过之后，冷汗直流，头风病不治而愈。

后来，袁绍战败出逃，陈琳作了曹操的俘

虏。曹操很理智地问道：“当初我们是敌对立场，骂我，甚至捏造罪名，这都是宣传需要，我可以谅解。可你连我的祖宗三代都一起骂了，难道我的错误还能让我爷爷、父亲负责吗？这岂非太不讲理了。”

陈琳巧妙设喻，解释了他的尴尬境地，他说：“比方我只是一只箭，放在弓弦上，箭头能自作主张，决定是否发射吗？”

曹操本想杀陈琳，听了他的解释，不但不杀，而且继续任命为秘书，发挥他的长处。

**成长指南**

“箭在弦上”比喻形势十分紧迫，已经到了不能不做的地步。